AF814869

tredition

Der Autor

Roland E. Ruf

1939 - 2023

lebte und arbeitete in Freiburg im Breisgau

www.roland-e-ruf.de

Roland E. Ruf

Die Sache mit den Sterntalern

Erzählungen

Illustrationen

Regine Staudenmeyer-Türck

tredition

© 2024 Volker Eck alias Roland.E. Ruf und Inge Reuter-Eck (Hrsg.)
Illustration: Regine Staudenmeyer-Türck
Lektorat, Layout, Cover-Design : Inge Reuter-Eck

Druck und Distribution im Auftrag des Autors und der Herausgeberin
durch tredition GmbH, An der Strusbek 10,
22926 Ahrensburg, Germany

Softcover ISBN 978-3-384-40591-3

Das Werk, einschließlich seiner Teile, ist urheberrechtlich geschützt. Für die Inhalte ist der Autor verantwortlich. Jede Verwertung ist ohne seine Zustimmung unzulässig. Dies gilt insbesondere für die elektronische oder sonstige Vervielfältigung, Übersetzung, Verbreitung und öffentliche Zugänglichmachung Die Publikation und Verbreitung erfolgen im Auftrag des Autors, zu erreichen unter: tredition GmbH, Abteilung "Impressumservice", An der Strusbek 10, 22926 Ahrensburg, Germany

Am Ende von Märchen

wissen wir, wie die Geißenmutter den bösen Wolf außer Gefecht gesetzt hat, Hans im Glück von der Last eines Goldklumpens befreit wurde, ein Schneider es zum König brachte, Hänsel und Gretel die böse Hexe überlisteten und ein armes Mädchen, welches nur ein Hemd besaß, darin Goldstücke auffing, die vom Himmel fielen.

Tatsächlich können die Geschichten dann nicht zu Ende gewesen sein. Was tut man, frage ich mich, wenn man im Garten vor dem Haus einen toten Wolf im Brunnen hat, den Lohn für treue Arbeit - immerhin ein Klumpen Gold - aus naivem Mitleid verliert und mit leeren Händen zu den Eltern zurückkehren muss? Was tun, wenn man als ehemaliger Schneider ein Land regieren soll und die Leute nicht mehr mit totgeschlagenen Fliegen beeindrucken kann?

Hänsel und Gretel hätten sich wegen vorsätzlicher Tötung einer alten Frau, obwohl sie sehr böse war, vor einem Gericht zu verantworten gehabt, und der Nachweis, dass die Kinder in Notwehr gehandelt haben, dürfte ihrem Anwalt nicht leichtgefallen sein.

Das Mädchen, welches vom Himmel gefallene Goldtaler auffing, das musste sich hüten, seinen plötzlichen Reichtum zu zeigen. Man stelle sich vor, es wäre am nächsten Tag zum Bäcker im Dorf gegangen, um nun endlich einmal ausreichend Brot zu kaufen. Wie reagiert ein biederer Dorfbäcker, wenn dieses Kind armer Leute plötzlich ein Goldstück auf die Ladentheke legt? Aha, jemand aus dieser Bande hat gestohlen oder geraubt! Das wäre vermutlich sein erster Gedanke gewesen. „Hör mal, Kleines! Ich kann dir nicht herausgeben, muss erst zur Bank, das Goldstück eintauschen. Komm doch später noch mal vorbei“, hätte er vielleicht listig gesagt, dem Kind aus dem großen Glas ein Bonbon gereicht und wäre zur Polizei gegangen, um seinen bösen Verdacht zu Protokoll zu geben.

Und dann könnte die Geschichte des Mädchens einen ganz anderen Ausgang genommen haben: Nachweis der Herkunft des Goldes. Wie, keine Erbschaft? Auch nicht Lohn für geleistete Arbeit? Ist vielleicht irgendwo jemand im Landkreis verschwunden, der so viel Reichtum besitzt? Hier wird etwas verborgen, vermutlich eine ganz schlimme Sache! Sehr verdächtig und genauestens zu untersuchen! Das Gold bleibt vorläufig konfisziert, das heißt unter amtlicher Verwahrung, mein Kind.

Solche Fragen lassen Märchen offen. Aber wir, die wir heute die Märchen gerne weitererzählen, wir können uns damit nicht zufriedengeben. Wirklich nicht! Schließlich sind wir so klug, mindestens zu ahnen, dass die eigentlichen Schwierigkeiten erst nach dem letzten Satz im Märchen entstanden sein könnten. Wir müssen sie daher selbst zu Ende bringen oder neu denken!

*

Was tat also das kleine Mädchen mit den vielen Goldstücken, die vom Himmel purzelten? Es wird sie in seinem zusammengehaltenen Hemd eilig aufgefangen haben.

Das Hemd riss, die Goldstücke glitten zu Boden. Auch wenn sie nicht sehr groß sind, haben Goldstücke nämlich ein erhebliches Gewicht. Folglich hat das Mädchen das Hemd auf die heile Rückseite gewendet – es war ja dunkel - und sie vorsichtig in das zum Beutel zusammengehaltene Hemd wieder eingelesen.

Nun ist es für ein kleines Mädchen weder schicklich noch angenehm, in der nächtlichen Kühle auf einem Friedhof das Hemd zu wenden, um sich dann mit einem Riss auf der Rückseite in der Dunkelheit auf den Weg nach Hause zu machen. Angesichts des Goldes empfand es sich plötzlich reich und dachte im Moment daran nicht. Bereits dies verschwiegen uns die Märchenerzähler.

Schritt für Schritt mit dem schweren Gold unterwegs, müssen dem Kind jedoch Bedenken gekommen sein. Was wird der Vormund sagen – die Eltern lebten ja nicht mehr -, wenn ich plötzlich mit so vielen Goldstücken zu Hause erscheine und auch noch berichte, dass sie vom Himmel gefallen sind? Erzähl mir nicht einen solchen Unsinn! Das wird er sagen und streng fragen: Wo hast du das Gold her? Oder: Wofür hat es dir jemand gegeben? Voller Misstrauen wird er es verstecken und mich nicht aus dem Haus lassen, sagte sich das Kind. Und wie es so dachte, verlangsamten sich seine Schritte.

Was hätten wir als Kind in dieser Situation getan? Ich vermute, wir würden jemanden um Rat gefragt haben - eine Person, der wir vertrauen. Genau das dachte sich das arme Mädchen auch. Weit wäre es in dem zerrissenen Hemd ohnehin nicht gekommen, welches es mit der schweren Last vorne zusammenhielt.

Solche Überlegungen sind es, deretwegen ich dieses und weitere Märchen auf andere Weise denken, alten Märchen neue Kleider nähen möchte.

Meine „Nähversuche“ wenden sich an Erwachsene, bevorzugt an

diejenigen, die hoffentlich weiterhin auf der Bettkante sitzend Kindern erzählen oder vorlesen. Märchen und Träume gehören nun einmal zum Leben! Vor allem dann, wenn uns der Himmel auf den Kopf zu fallen scheint.

Und außerdem: Für Märchen ist man nur vorübergehend zu alt.

Roland E. Ruf

Im Mai 2023

Die Sache mit den Sterntalern

Wenig abseits des Weges wohnte eine alte Frau, sagen wir lieber eine ältere Dame. Für die hatte das Mädchen schon hin und wieder Besorgungen erledigt, ihre Ziege gehütet und beim Ausmisten des Stalls geholfen. Dafür bekam es meistens eine Kleinigkeit. Mal ein Stück vom Kuchen, den die alte Dame zum Wochenende gebacken hatte, weil sie hoffte, Verwandte würden sie besuchen, andermal ein paar Cent oder Bonbons, einmal sogar ein altes Märchenbuch. Und über das Buch, für das Mädchen eine außergewöhnliche Gabe, war es besonders erfreut. Ich besitze nun ein Buch, sagte es voller Stolz. Darin regte es die Geschichte eines Burschen namens Hans auf, dem man die Bezeichnung *Hans im Glück* gegeben hatte. Dieser dumme Kerl! Wie kann er nur so leichtgläubig sein und einen Klumpen Gold derart ungünstig eintauschen? Er wäre besser zu einer Bank gegangen, um das Gold in Geld zu wechseln und hätte ein Konto eröffnet, meinte das Mädchen.

Seinen Ärger über diese Geschichte hatte es der alten Dame anvertraut, und die stimmte ihm zu. Der Bursche habe keine Ahnung gehabt, was eine langfristige Kapitalanlage sei, murmelte sie und fuhr nun hörbar fort: Bedenke Kind, die Hälfte des Goldwertes fest verzinslich angelegt, vielleicht in Obligationen und die andere Hälfte in Aktien, dabei wäre doch eine schöne Rendite herausgesprungen!

Verwirrt verließ das Mädchen die alte Dame. Wer springt da wo aus einer Bank heraus? Diese Frau Rendite wäre vielleicht auch mit dem Gold verschwunden. Geschichten von solch betrügerischen Vorfällen hört man ja immer wieder. Worin sollte dann der Vorteil für den Burschen bestanden haben? . . . *Rendite*, übrigens ein seltsamer Name. Aber die alte Dame scheint ihr ja zu vertrauen.

Ob diese Frau Rendite, wahrscheinlich eine Angestellte der Bank, mir helfen könnte? fragte es sich heute auf dem Weg zu ihrer Vertrauten. So dumm wie dieser Hans werde ich mich nicht anstellen und gleich mit dem ganzen Gold zur Bank gehen.

Am Häuschen der alten Dame angekommen, bemerkte es im Fenster Licht. Das arme Mädchen – aber arm war es ja nun nicht mehr – warf Steinchen gegen die Fensterscheibe.

Nach kurzer Zeit zeigte sich die Frau am Fenster, erkannte das Mädchen, das sie verständlicherweise in diesem Moment noch für arm hielt und befürchtete Schlimmes, zog Pantoffeln an und schlurfte zur Haustür. Sie öffnete nur einen Spalt breit und fragte verwundert: „Meine Güte, was tust du noch auf der Gasse, Kind? Was ist geschehen? Bist du zu Hause weggelaufen oder ist meine Ziege, diese Kanaille, wieder mal aus dem Stall ausgebrochen?"

„Nein, nein, flüsterte das Mädchen. Mir ist etwas wahnsinnig Verrücktes passiert, und Sie müssen mir bitte, bitte helfen." – „Na, dann komm rein!", forderte die alte Dame es auf. „Aber weshalb schleppst du um diese Zeit einen Haufen Steine mit dir herum? Mach mir hier nichts dreckig! Lass das Zeug bitte draußen. Ich habe erst gestern gewischt."

In der Tür stehend, öffnete das Mädchen wortlos das zusammengehaltene Hemd. „Mein Gott!", stöhnte die alte Dame auf. „Um des Himmels Willen! Woher hast du diese Menge Goldtaler?" - „Ja, genau von dort!", antwortete nach kurzem Nachdenken das Mädchen und nickte zur Beteuerung seiner Aussage energisch. – „Was soll das heißen: von dort?" Über diese Auskunft, die nichts erklärte, war die alte Dame nun doch ungehalten, was man begreifen kann.

„Von dort oben, wie Sie gerade gesagt haben", erwiderte das Mädchen und wies mit dem Kopf Richtung Himmel. - „Und das soll ich dir glauben? Aber komm doch erst mal ins Haus. Wir sollten mit dem Gold nicht in der offenen Tür stehen bleiben. Außerdem wird dir kalt sein in deinem dünnen Hemd", sagte sie und schob das Mädchen an den Schultern in die warme Wohnstube.

Es ist nun an der Zeit zu erklären, was man sich unter dem *Hemd* vorzustellen hat, welches das Mädchen trug. Die Geschichte liegt ja lange zurück, wie das in Märchen üblich ist. Es wird gewiss kein bunt bedrucktes Shirt gewesen sein, wie ihn heute Billiganbieter *feilhalten*. So hätte man damals gesagt. Man trug Leinenhemden, und Leinen ist ein festes und dichtes Gewebe, das es noch immer gibt, zum Beispiel für schicke Sommerkleidung und für schwere Bett- und Tischwäsche, die lange halten soll. Vielfach gewaschen, damals mit Kernseife, und über einem Holzbrett geschrubbt, wird auch ordentlicher Leinenstoff mit der Zeit brüchig. Wie gesagt, das Mädchen kam ja aus einer armen Familie, in der ein Hemd so lange vielfach geflickt getragen wurde, bis es wirklich nicht mehr ging und nur noch für Putzlappen taugte.

In der Stube besah sich die alte Dame im Schein der Stehlampe die Goldstücke genauer. Die Deckenbeleuchtung traute sie sich nicht einzuschalten. Das Mädchen berichtete, wie es auf dem Rückweg vom Briefkasten, wohin es der Vormund mit einem eiligen Schreiben an die Rentenanstalt geschickt hatte, am Friedhof vorbeikam und sich entschloss, am Grab der Mutter ein Gebet zu sprechen. Plötzlich habe sie am sternenklaren Himmel gesehen, dass sich einige der vielen Sterne lösten und flatternd und schwankend wie Herbstlaub zur Erde torkelten.

„Das sah so schön aus im Schein des Mondes!“, meinte es versonnen.

Und als dann diese glänzenden Dinger dem Erdboden immer näherkamen, sei sie ihnen entgegengelaufen und habe so zum Spaß das Hemd aufgehalten. Plötzlich fielen alle in einem Schwung hinein. Das Hemd sei unter der Last gerissen, so dass die Dinger klirrend auf die Steinplatten des Weges prasselten. Sie habe rasch das Hemd ausgezogen und gewendet. Erst beim Einsammeln sei ihr aufgefallen, dass es Geldstücke sind. Wahrscheinlich solche aus dem Ausland, vermutete das Mädchen, denn sie müssen doch von weither gekommen sein.

„Hm“, murmelte die alte Dame, wiegte nachdenklich den Kopf. „Ist's ein Wunder? So soll's eins bleiben! Ist's aber keines, dann hat es nicht die Falsche getroffen und ist deshalb eins.“ Sie stapelte die Goldtaler zu Türmchen auf dem Wohnzimmertisch.

„Also“, sagte sie dann, „das Zeug ist echt! Altes Geld in reinem Gold. Das hat man früher so gehabt, natürlich nur die Reichen. Jemand von dort oben hat sie dir geschenkt. Wer und weshalb? Das weiß der Himmel! Eigentlich kommt das nur in Märchen vor. Aber wie man sieht, werden Märchen mitunter wahr. Und nun hör gut zu! Du darfst niemandem davon erzählen, auch nicht dem Vormund“, mahnte sie eindringlich. „Keiner würde dir glauben! Im günstigsten Fall ginge man davon aus, dass du mit diesen Goldstücken einen verborgenen Schatz gefunden hast. Du müsstest deinen Fund auf dem Rathaus abgeben und den Ort genau beschreiben, denn diese Goldtaler sind sehr, sehr alt. Sie kämen in ein Museum, und du bestenfalls in die Zeitung. Außer einem geringen Finderlohn bliebe dir nichts.“

Sollte das der Sinn dieser unerwarteten Zuwendung gewesen

sein? fragte sich die alte Dame. Das Mädchen strich mit den Fingern über die Goldtaler-Türmchen auf dem Tisch. „Ich würde so gerne einmal Tierärztin werden," sagte es leise und blickte die alte Dame erwartungsvoll an. Die verstand und dachte nach.

„Es wird das Beste sein, du gehst jetzt nach Hause, teilst dem Vormund mit, du seist so spät, weil ich mich unwohl fühlte und dich um Hilfe gebeten hätte. Morgen kommst du möglichst bald zu mir. Wir werden hinunter ins Tal gehen, denn in der Stadt kenne ich einen Juwelier, dem wir deine Goldstücke zeigen. Er ist ein verschwiegener Mann und kann uns eventuell weiterhelfen." Sie nahm einen der Taler in die Hand, wog ihn schätzend auf der Handfläche. „Allein der Wert des Edelmetalls dürfte beträchtlich sein. Deine Not hätte ein Ende." Sie legte den Taler zurück. „So, nun ab nach Hause! Und die Goldstücke werde ich bis morgen unter der Matratze verstecken."

Der Vormund schimpfte und schalt das Mädchen unzuverlässig, wunderte sich aber über dessen Gleichgültigkeit bezüglich seiner berechtigten Vorhaltungen, wurde darüber wütend und schickte es zur Strafe ohne Abendessen ins Bett. Es waren ohnehin nur kalte Pellkartoffeln mit Quark aus Ziegenmilch, wie jeden Abend.

Noch mehr wunderte er sich am nächsten Morgen: Das Mädchen stocherte im Quark, aß endlich eine der Kartoffeln und hatte es danach sehr eilig, die alte Dame aufzusuchen. Diese brauche Hilfe beim Besuch eines Arztes in der Stadt, sagte sie, warf sich Mutters Schaltuch über und verschwand.

Der Juwelier zeigte sich erfreut über den Besuch der alten Dame und erst recht beim Anblick der Goldtaler. „Wo haben Sie die nur her, verehrte Freundin?", wunderte er sich nach erstem Hinsehen. Er klemmte eine Lupe ins Auge und betrachtete eingehend einzelne Münzen. „Das sind Florentiner Gulden, Fiorini genannt, aus dem späten 13. Jahrhundert, wie ich vermute. Ein ansehnlicher Schatz!"

Er zählte zehn Münzen ab und legte sie auf eine Waage, hantierte mit diversen Gewichten, bis beide Waagschalen gleich schwer waren. „Für diese alte Münzsorte haben sie das typische Gewicht, etwas mehr als 35 Gramm je Münze. Präziser geht es leider mit dieser betagten Waage nicht. Etwa drei und ein halbes Kilogramm Gold wiegen alle Münzen zusammen. Bereits ein beachtlicher Metallwert und der für ihre historische Herkunft kommt dazu - ein wirklicher Schatz!"

„Ach, wissen Sie, lieber Freund, meine Eltern gaben mir auf diese Weise einen Teil ihres Vermögens als Erbe und legten mir nahe, nur in Notzeiten davon Gebrauch zu machen. Gott sei Dank benötigte ich diese Werte nie, da ich, wie Sie wissen, bescheiden lebe und eine Pension habe. Aber nun ist es an der Zeit, dass meine kleine Patentochter eine anständige Schule besucht, damit aus ihr etwas wird. Das Kind ist begabt, die Eltern verstorben und der Vormund Frührentner. Ich bin alt, brauche keine Reichtümer mehr und möchte mit diesen Münzen die Ausbildung des Kindes finanzieren. Helfen Sie mir, die Münzen zu verkaufen!"

Nachdenklich strich sich der Juwelier über das Kinn. Der vollständige Verkauf von annähernd hundert alten Münzen – „sechsundneunzig!" präzisierte die alte Dame – sei nicht einfach. In diesem besonderen Fall müsse er eine Messe für Münzen und Antiquitäten in der Hauptstadt besuchen.

Er griff zu einer bauchigen Flasche auf der Kirschholzkommode, holte aus der Glasvitrine drei zierliche Gläschen und schenkte mit zittriger Hand vom Holunderblüten-Likör ein.

„Um Gottes Willen, für das Kind höchstens einen Teelöffel zum Kosten, bester Freund!“, wehrte die alte Dame seinem großzügigen Handeln. Man wünschte sich ewige Gesundheit. Das kleine Mädchen kam sich nun beinahe so groß vor wie die Erwachsenen, tauchte einen Finger in den Likör und leckte ihn ab. Es wurde ihm wohlig warm und seine Augen glänzten.

In würdiger Ruhe stellte man die Gläser ab. Dabei meinte der Juwelier nachdenklich: „Es wäre meiner Erfahrung nach vorteilhafter, seriöse Fachhändler einzuschalten, um von Tagespreisen unabhängiger zu sein. Die kennen ihrerseits Personen, die ihnen solche Münzen abnehmen, um einen Teil ihres Vermögens verschwiegen und sicher anzulegen.“

Man dürfe, fuhr er in überzeugender Weise fort, diese enorme Menge an Fiorini – „acht Dutzend“ warf die alte Dame wiederum nachdrücklich ein - auch nicht im Ganzen auf den Markt bringen, eher nach und nach, um den Preis zu halten. Doch, doch! Das Geschäft reize ihn schon, wenn man ihm eine angemessene Provision zusichere. „Sie dürfen mir vertrauen, Verehrteste, dass ich diese Angelegenheit, sagen wir, innerhalb von fünf Jahren regle.“

„So lange könnte das dauern, bester Freund?“ - „Gewiss, gewiss, wenn man nichts übereilt und damit den Preis verdirbt! Aber ich verstehe natürlich, dass Sie für den beschriebenen Zweck bald bares Geld brauchen werden. Ich mache Ihnen folgenden Vorschlag: Wir beide schließen einen Vertrag über den Verkauf der Münzen. Sie nehmen bei der Sparkasse einen Kredit etwas unterhalb des geschätzten Wertes der Taler auf, für den ich bürge. Die Kreditsumme und die Zinsen begleichen wir nach und nach aus dem Verkaufserlös der Münzen, abzüglich meiner Provision, und Sie verfügen monatlich über das nötige Schulgeld für diese noch sehr junge

Dame. Das wäre ein zweiseitig anständiges Geschäft und wir beide können uns weiterhin in Freundschaft begegnen."

Das überzeugte die alte Dame, und so geschah es auch. Sie erklärte dem Vormund des Mädchens, dass sie sich entschlossen habe, ihm aus Dankbarkeit für seine Hilfsbereitschaft eine Ausbildung zu ermöglichen. Nachkommen habe sie nicht und dieses Kind verdiene ihre Unterstützung. Keineswegs erfreut nahm das der Vormund zur Kenntnis, stimmte aber schließlich zu, obschon ihm eine helfende Hand im Haus fehlen würde, wie er brummend anmerkte.

*

Das Mädchen besuchte daraufhin unweit der Kreisstadt eine von Nonnen geführte Internatsschule und reifte zu einer jungen Frau heran. Regelmäßig an Sonntagen und während der Ferien besuchte sie die inzwischen sehr alte Dame im Altersheim und vergaß auch den Vormund nicht. Der Juwelier hatte Wort gehalten, aber das erlöste Geld aus dem Verkauf der Münzen deckte die Internatskosten im letzten Schuljahr nicht mehr vollständig.

„Weißt du, liebe Sybille" - so hieß das Mädchen – „das ist ein lösbares Problem. Ich bin schon recht betagt und werde nicht mehr lange hier sein. Ich setze dich als Erbin in mein Testament ein und werde zuvor bei der Sparkasse eine Hypothek auf mein Haus aufnehmen. So wirst du weiterhin die Schule bis zum Abitur besuchen und nach Verkauf des Hauses auch noch über ein kleines Startkapital verfügen, um mit dem Studium beginnen zu können. Später wird man dir, intelligent und fleißig wie du bist, sicher ein Stipendium gewähren."

*

Märchen enden im Allgemeinen gut. Das habe ich mir gemerkt und daher eine Geschichte erzählt, die kein schlimmes Ende genommen hat.

Was aber wäre gewesen, wenn der Juwelier die alte Dame und das Mädchen betrogen hätte oder infolge einer Wirtschaftskrise die Preise im Münzhandel erheblich gesunken wären, gar das Finanzamt in Erfahrung gebracht hätte, was hier geschah? Solche Möglichkeiten habe ich vermieden, damit das Märchen auch ein Märchen bleibt.

◆

Braunweißchen mit dem himbeerroten Mund

Es war einmal . . . Nicht schon wieder, Opa! – Also dann: Vor vielen Jahren saß eine nicht mehr ganz junge Frau bei OLDIE an der Kasse - Stunde über Stunde. Sie nahm die Ware vom Band, tippte die Preise ein, die sie auswendig kannte. Und weil sie sich die Preise merken konnte, deshalb hatte OLDIE sie angestellt.

Die Arbeit ermüdete und sie seufzte. Während sie seufzte, tippte sie den Preis eines Bechers Schokopudding mit einer Haube aus weißer Sahne ein. Die Kundin scharrte mit den Füßen und beanstandete, dass der Becher im Kühlregal mit 39 Cent und nicht mit 49 Cent ausgezeichnet sei. Die Frau korrigierte ihren Fehler.

Es trug sich zu, dass Minuten danach erneut ein solcher Schokopuddingbecher mit weißer Sahnehaube vor ihr auf dem Band erschien. Dieses Mal tippte sie 29 Cent ein, und die Kundin scharrte nicht mit den Füßen, tat den Becher in die OLDIE-Papiertüte, welche 10 Cent kostete. Die Frau an der Kasse tippte 20 Cent ein.

Nun stampfte die Kundin mit dem Fuß auf und bemerkte energisch, dass diese Tüte noch vor Tagen für 10 Cent zu haben war. Aus Gründen des Umweltschutzes habe der Tütenpreis seit gestern aufgeschlagen, gab sie der Kundin zur Kenntnis und wandte sich der restlichen Ware auf dem Band zu. Der fiel vor Erstaunen der rote Kaugummi mit Himbeergeschmack aus dem Mund, direkt auf den Becher Schokopudding mit der weißen Sahnehaube.

Ach, bekäme ich ein Kind, dachte sich die nicht mehr so junge Frau an der Kasse, eines mit Haaren braun wie Schokopudding, weißer Sahnehaut und einem himbeerroten Mund, dann nähme ich mir Elternzeit. Und käme ich danach zurück, wird OLDIE hoffentlich auf elektronische Kassen umgestellt haben, die den Warenpreis per Scanner am Strichcode erkennen.

Der Zufall wollte es – oder war die Überanstrengung die Ursache? –dass sie vergaß, die Pille zu nehmen. Sie wurde schwanger und gebar zur vorgesehenen Zeit ein Mädchen. Ihr Lebensgefährte zeigte sich mit der überraschenden Schwangerschaft gar nicht einverstanden und verließ sie.

So kehrte sie nach der Mutterschutzpause zurück an die Kasse bei OLDIE, brachte das Kind morgens zur Babykrippe und holte es nach Ladenschluss ab.

Das Mädchen wuchs heran und begann zu laufen, tanzte zu Klängen ihres aufziehbaren Glockenspiels und ersann Melodien, zu denen es rhythmisch klatschte. Ein überaus apartes Kind mit schokoladenbraunen Locken, einer Haut wie Sahne und einem himbeerroten Mündchen. Kam die Mutter sonntags mit dem Töchterchen zum Spielplatz, sahen die anderen Mütter neidisch zur Seite und tatenlos zu, wenn ihre Kleinen mit Sand nach dem hübschen Mädchen warfen. So erlebte es bald die Widersprüchlichkeiten dieser Welt.

Die Mama des Mädchens lernte einen Mann kennen, es war der neue Filialleiter bei OLDIE, dem die Frau davongelaufen war. - Der Grund? Meine Güte, es gibt so manche! - Er war nun alleinerziehend und froh, eine Partnerin gefunden zu haben. Seine beiden Töchter nicht. Älter als das kleine Mädchen, das nun ihre Schwester sein sollte, dick geworden vom Fastfood-Essen und einem bewegungsarmen Leben vor dem TV-Gerät, fanden sie sich hässlich und ärgerten deshalb ihr neues hübsches Schwesterchen bei jeder sich bietenden Gelegenheit. Und die ergab sich leider oft.

So ging das einige Zeit. Das Kind wollte nicht mehr recht essen und magerte ab. Die Stiefschwestern aber nahmen weiter zu und waren inzwischen so dick geworden, dass das Mädchen auf der Couch vor dem TV-Gerät keinen Platz mehr neben ihnen hatte.

Das war nicht länger mit anzusehen. Die Mutter ging zum Jugendamt und beantragte freiwillige Erziehungshilfe. Nach Abschluss des Verfahrens fand das Jugendamt für das magere kleine Mädchen einen Platz im Caritasheim.

Aber auch das war keineswegs problemlos, denn nach der Trennung von der Mutter überkam das Kind tiefe Trauer. Es weinte oft, spielte nicht mit den anderen Kindern und hielt sich abseits. Nur an der Schule fand es Spaß, lernte fleißig und wich der Klassenlehrerin, Frau Ida Merkel, nicht von der Seite.

Eine bösartige Erzieherin, hier Tante genannt, bemerkte das und wurde eifersüchtig. Ständig hatte sie an dem Kind etwas auszusetzen, bestrafte es mit Zusatzdiensten und schlug es auch, wenn niemand in der Nähe war. Sein Weinen und seine Klagen wurden kaum beachtet, denn diese Tante galt als kompetent, war mit besten Dienstzeugnissen erst vor Monaten eingestellt worden, und unter diesen Umständen hätte die Heimleitung sie entlassen müssen. Das wäre aber ein schwerer Einschnitt im Leben der Tante gewesen: Sie hatte ihren Mann, einen arbeitslosen Bergmann, und drei unmündige Kinder zu versorgen. So erhielt sie nach einiger Zeit nur eine Verwarnung, und die änderte wenig an der Situation des Mädchens.

Der Heimleiter aber, ein mitfühlender Mensch, sah sich nach einer geeigneten Pflegefamilie um. Die Suche erwies sich als schwierig. Sprach eine interessierte Familie bei ihm vor, so zog er das Kind hinzu, und das sah dann traurig zu Boden.

Eines Tages wagten sich schüchtern zwei auch nicht mehr ganz junge Männer zu ihm. Ein schwules Paar, das sich ein Kind wünschte und gerne auch ein kleines Mädchen. Der Heimleiter wusste nicht so recht, was er in diesem Fall tun sollte, ließ aber das Kind kommen, weil ihm das Anliegen der beiden freundlichen Menschen so echt erschien. Und der Heimleiter konnte es kaum glauben, - das Kind strahlte auf. Seitdem lebt es mit Hans-Jochen, den es Muddi nennt und mit Knud, der für das Mädchen der Vaddi ist, zufrieden und in Freude zusammen, besucht inzwischen das Gymnasium und ist zu einem adretten Teenie herangereift.

So, eine traurige Geschichte hat ein gutes Ende genommen! Wir könnten die Seiten des Buches schließen und du, mein Kind, fändest in den Schlaf, würdest eventuell von Muddi, Vaddi und ihrer hübschen Tochter träumen. Doch leider enden solche Geschichten selten unkompliziert. Aber warte, ganz am Schluss steht doch ein Happy End. Das will ich jetzt schon verraten.

*

Das Mädchen, es hieß übrigens Mandy, war nicht nur eine fleißige und gute Schülerin im Gymnasium der mittelgroßen Stadt, in der sie mit Hans-Jochen und Knud lebte, sondern auch musikalisch sehr begabt und hatte eine glockenreine Stimme. Das sprach sich herum. Kein Wunder, denn diese seltsame Familie verfolgte man in der Stadt mit Neugierde, oft hinter vorgehaltener Hand.

Muddi und Vaddi taten alles, um Mandy im Städtchen zu integrieren. Sie besuchte fortan die Musikschule, lernte Klavierspielen und sang auch im Kirchenchor.

Das sah man im Städtchen gern. - Die Zeiten waren ja nicht mehr dieselben wie früher, als ein homosexuelles Paar mit einem Adoptivkind undenkbar gewesen wäre. Aber es gab sie noch, die ewig Gestrigen! Die lauerten Mandy mitunter auf und beschimpften sie mit schlimmen Worten, die ich hier nicht gebrauchen werde. Mandy, zu Selbständigkeit und Vorsicht erzogen, streckte in solchen Situationen die Zunge heraus und sagte so etwas wie: „Ätsch, ich mag meine Eltern, und ihr könnt mich nicht ärgern!"

Auch das beobachtete man im Städtchen und beglückwünschte Hans-Jochen und Knud bei sich bietender Gelegenheit, z.B. Konzerten des Kirchenchors oder Schulveranstaltungen, zu ihrer selbstbewussten und fixen Tochter.

Ihre musikalische Begabung fand die Aufmerksamkeit einer Gruppe, die sich *Goldbachthaler Knappen* nannte und mit heimatlichem Liedgut auf Schützenfesten, an Kirchweihtagen und Heimatabenden für Touristen auftrat. Die sieben Musiker – rote Zipfelmütze, grünes Wams und lederne Kniebundhose – hatten sich schon lange nach einer Sängerin umgesehen, die ihrem mehrstimmigen Gesang – a cappella - einen zarten Kontrast geben konnte.

Mandy stellte sich vor und probte ein paar Stücke mit den sieben *Goldbachthaler Knappen*. Die erkannten nicht nur sofort ihre musikalische Eignung, sondern waren auch davon angetan, wie unkompliziert sie sich in ihre Gemeinschaft einfügte, dennoch auf Abstand achtete und sich nicht als Diva gebärdete, - und nahmen sie auf.

Es liefe doch noch immer alles gut, meinst du? Warte ab!

Das Regionalfernsehen lud die *Goldbachthaler Knappen* mit Mandy zu einer Casting-Show ein, an der auch die beiden *Pummel-Sisters* mit ihren vier dressierten Pudeln teilnahmen, zwei schwarzen und zwei weißen, die zum Gesang der korpulenten Damen herzzerreißende Töne von sich gaben.

Und das war in deren Auftritt der eigentliche Höhepunkt! Was sie sangen die *Pummel-Sisters*, waren Oldies aus der Schlagerkiste der Fünfziger und Sechziger, solche wie *Ich will keine Schokolade, ich will lieber einen Mann*. Drollig? Vielleicht, aber auch peinlich, wenn die auf kindlich gemachten dünnen Stimmen und manche falschen Töne aus den Kehlen zweier nudeldicker Weiber im Dirndl-Look drangen. Das fand auch die Jury.

Du hast es vielleicht schon geahnt: Die beiden von der Jury abgeschmetterten *Pummel-Sisters* waren niemand anderes, als Mandys ehemalige Stiefschwestern. Die hatte sie leider nicht erkannt. Und so geschah, was man eigentlich nur aus Märchen zu kennen meint.

War Mandy aufgeregt, aß sie einen Apfel. Der Apfel half ihr, sich zu beruhigen. Sie hatte immer einen dabei, so auch dieses Mal. In den Apfel biss sie, als sie nach dem Auftritt der *Goldbachthaler Knappen* von der Bühne zurück in den überbelegten Übungsraum kam. Das Publikum applaudierte und erwartete eine Zugabe. Also Apfel zur Seite und wieder hinaus auf die Bühne!

Die beiden Schwestern mit ihren kläffenden Pudeln hatten Mandy sofort erkannt. Nach dem dünnen Beifall für ihren eigenen Auftritt verfolgten sie mit Neid die erfolgreiche Gruppe der singenden Knappen auf der Bühne mit Mandy in ihrer Mitte.

Wütend entnahm Susi, die jüngere, der Schürzentasche ihres Dirndls ein Fläschchen und träufelte, unbeachtet von den Anwesenden - die kläffenden Hunde hielten alle im Übungsraum in Atem - mehrere Tropfen eines hochwirksamen Beruhigungsmittels auf den angebissenen Apfel. Von dem Zeug nahmen sie und ihre Schwester bisweilen nur einen einzelnen Tropfen, um ihre Nervosität vor Publikum zu dämpfen.

Mandy kam von der Zugabe zurück, erschöpft, doch total glücklich und aß genüsslich den Apfel auf.

Minuten später brach sie ohnmächtig zusammen.

Aufregung! - Telefon - endlich Notarzt und Krankenwagen.

Betroffen blickten die sieben *Goldbachthaler Knappen* in ihren Kostümen durch die Scheibe der Intensivstation auf die verkabelte und an Schläuchen angeschlossene Mandy. Sie hatten keine Zeit gehabt, die Garderobe zu wechseln. Was war geschehen? Was ist mit ihr? Wird sie überleben?

Der junge Stationsarzt, der an diesem Wochenende Dienst hatte, bat sie, den Heimweg anzutreten. Er habe Mandy ins künstliche Koma gelegt und könne sie erst aus diesem wecken, wenn die Werte auf den diversen Anzeigen an den Apparaten das zuließen.

Nicht erwähnt hatte er, dass zuvor eine Analyse von Mandys Mageninhalts abzuwarten war. Erst auf das Resultat des Labors hin war eine wirksame Medikamentierung möglich. Das konnte dauern und darin bestand das Risiko, und diese Sorge wollte er ihnen ersparen.

Traurig zogen sich die *Goldbachthaler Knappen* zurück, weinten auf der Fahrt in ihr Heimatstädtchen. Ohne Mandy konnten sie sich ihre Auftritte nicht mehr vorstellen. Nach zwei Stunden, zwei langen Stunden, erreichten sie den Ort und verständigten umgehend Hans-Jochen und Knud.

Deren Kummer war nicht in Worte fassen. Traurigkeit, Angst um Mandy und Verzweiflung wären zu schwache Ausdrücke.

Kummer waren sie als schwules Paar gewohnt, aber heute fühlten sie den Mittelpunkt ihres Lebens dahinschwinden. Wen hatte das Mädchen nicht mit seinem Charme bezaubert? Wer blickte nicht mit Freude auf sie, auch wenn er ihr nur kurz begegnete?

Aber bei aller tiefen Besorgtheit trifft oft irgendwo ein Gedanke wie ein heller Funken im rechten Moment! Erinnerst du dich an die Frau an der Kasse des OLDIE-Marktes? Ganz recht, Mandys Mutter. Die saß während der Casting-Show vor dem Bildschirm. Den Auftritt ihrer ehemaligen Stieftöchter mit den Pudeln wollte sie sich nicht entgehen lassen, obwohl sie längst getrennt lebte vom Filialleiter. Von spottenden Kolleginnen hatte sie mitbekommen, dass man sich frage, ob bei der *Pummel-Sister-Show* eindeutig sei, wer musikalischer ist: Mensch oder Hund?

Wie groß war ihre Überraschung, als sie auf dem Bildschirm in der Sängerin der *Goldbachthaler Knappen* Mandy erkannte. Überglücklich vom Erfolg der ihr in den Jahren der Trennung fremd gewordenen Tochter, holte sie die Flasche mit dem Eierlikör aus dem Schränkchen unter dem TV-Gerät. Und weil sie die Gläser oben in der Schrankwand verwahrte, brauchte sie den Schemel aus der Küche. Erst nach Minuten kehrte sie auf die Couch zurück.

Genau in dem Moment wurde die Übertragung unterbrochen. Der Sender schaltete auf ein Standbild - Abendlandschaft mit Wolken. Zu der auf einem Band durchlaufenden Information < *Wir unterbrechen die Übertragung. Nach einem bedauerlichen Vorfall befindet sich Mandy S in ernstem Zustand auf dem Weg zum Klinikum* > erklang getragen ein Streichquartett.

Schluchzend und fassungslos starrte die Frau auf die Abendlandschaft mit Wolken. Eine schlimme Ahnung stieg in ihr auf. Die Boshaftigkeit ihrer ehemaligen Stieftöchter kannte sie bestens . . . Und dann zündete der Funke, von dem ich sprach! Sie eilte zum Telefon.

Die Polizei anrufen?
Ach herrje, die hat täglich mit seltsamen Verdächtigungen zu tun,

notiert, was der Anrufer mitteilt, beruhigt ihn und wartet ab. Die Frau sollte den Aufnahmeleiter des TV-Senders an den Apparat bekommen! Aber wie? Ruft man in einem solch großen Betrieb an, landet man in einer Telefonzentrale, hört *ich verbinde,* daraufhin eine gefühlte Ewigkeit Musikgedudel. Schließlich meldet sich jemand, man atmet auf . . . und ist in der falschen Abteilung gelandet.

Nun, zu einem Zufall gesellt sich mitunter ein zweiter. Die Dame in der Telefonzentrale des Senders verstand sofort und verband direkt. In seiner Betroffenheit zeigte sich der Aufnahmeleiter dankbar für den Hinweis der Mutter. Er verständigte die Klinik und die letztendlich die Kriminalpolizei. Was eine Klinik mitteilt, das nimmt man bei der Polizei ernst.

Kurz und gut, eine Streife traf am Bahnhofsimbiss auf die beiden Schwestern mit den vier Hunden. Das Fläschchen befand sich in einer Reisetasche. Der Rest war Routine.

Der junge Arzt auf der Intensivstation wusste nun, was er zu tun hatte, und nach Stunden wach-te Mandy auf.

Deine Vermutung, dass er sie am Tag ihrer Entlassung hinten auf sein Motorrad gesetzt habe und mit ihr zur Villa seiner Eltern gefahren sei, um sich noch am selben Abend mit ihr zu verloben, trifft nicht zu. Wirklich keine Spur von solch märchenhaftem Blödsinn. Mandy kehrte dorthin zurück, wo sie sich zu Hause fühlte: zu Hans-Jochen, der Muddi und Knud, dem Vaddi.

Und jetzt folgt das Happy End!

Sie ging weiterhin zur Schule, bestand die Abschlussprüfung und entschloss sich, Theologie zu studieren. Seit einem halben Jahr ist sie Pfarrvikarin in Olbich an der Wurthe. Und wenn sie nicht bald

Matthias heiratet, ihren Studienkollegen, wird sie dort auch noch eine Weile bleiben.

Darüber wären die Mädels der von Mandy gegründeten Selbsthilfegruppe für beleibte Menschen wohl kaum traurig.

◆

Die Jubiläumsrede

des Anwalts Dr. Frieder Hass

Beirats-Vorsitzender der ländlichen Genossenschaftsbank

Sehr geehrte Frau Landrätin,

sehr geehrter Herr Bürgermeister,

verehrte Freundinnen und Freunde des Hauses,

liebe Mitglieder unserer Genossenschaft!

Wir haben heute zusammengefunden, um den 125. Jahrestag der Gründung unserer Genossenschaftsbank zu begehen. Keine großartige Feier, wie sie wohl der eine oder andere Mitbewerber ausrichten würde, könnte er wie wir auf eine so dauerhafte Tradition zurückblicken. Die Zeiten sind nicht danach, beeindruckende Feste zu feiern. Risiken und Gefahren lauern überall. Sie rechtzeitig zu erkennen ist die Voraussetzung aller Freude am Erreichten. Dessen hat sich eine genossenschaftliche Bank immer bewusst zu sein.

Erlauben Sie mir, dass ich heute den Fokus auf ein Feld richte, das gleichfalls eine lange Tradition beansprucht. So unbedeutend es erscheinen mag, kann es jedoch von nachhaltiger Wirkung sein: Das Erzählen von Märchen!

Für Sie ist dies gewiss ein unerwarteter Fokus für einen Mann des Rechtes, den man gemeinhin nicht mit der Welt der Märchen in Verbindung bringt. Doch das täuscht! Märchen verherrlichen Taten, die im wirklichen Leben die Justiz beschäftigen würden. Aber das ist nicht der alleinige Anlass, sie auf ihre gesellschaftliche Ausrichtung hin zu hinterfragen.

Ich werde versuchen, Ihnen exemplarisch darzustellen, in welcher Weise eine offene Gesellschaft durch den unkritisch hingenommenen Inhalt von Märchen - uns allen bekannter Märchen - in die Gefahr gerät, von Ideologen absurder Gesellschaftstheorien von gleichen Rechten aller am Eigentum, unterlaufen zu werden. Eine Theorie, welche naturgegebene Unterschiede und individuelle Fähigkeiten außer Acht lässt und sozialer Uniformität das Wort redet.

In fantasiereich ausgestalteten Erzählungen ist dieses Gedankengut präsent, und das sollten wir hinsichtlich seiner Wirkung nicht länger unterschätzen. Ob wandernde Handwerksburschen oder schwächliche Schneider mächtige Landesherren besiegen, geldgierige oder verschlagene Mitbürger, die als böse Zauberer oder Hexen auftreten, zur Räson bringen oder tierische Monster eliminieren, stets schimmert der Geist der Auflehnung durch. Obwohl die Helden und befreiten Opfer mystischer beziehungsweise obrigkeitlicher Gewalt längst gestorben sind, so leben sie in Märchenbüchern im Glanz ihrer glorreichen Taten fort. Das ist eine Methode, die auf Infiltration setzt und über das Erzählen von Märchen unser bestehendes Gesellschaftssystem konterkariert, das heißt in Frage stellt.

Den Ansatzpunkt dafür bietet den Vertretern dieser zweifelhaften Gerechtigkeit der wirtschaftliche oder persönliche Erfolg.

Gelänge es also, den Erfolgreichen nachdrücklich als einen darzustellen, der geheimniskrämerisch seinen Geschäften nachgeht und ein Lügengebäude errichtet, nur um seines Vorteils willen, wären führende Kräfte aus Politik, Wirtschaft und gesellschaftlichen Verbänden in den Augen der Öffentlichkeit diffamiert. Wer würde ihnen im Grund seiner Seele noch Glauben schenken? Unser gesellschaftliches System geriete ins Wanken, und die Heilsapostel eines von der Geschichte für überholt gehaltenen Systems, kämen aus ihren gut dotierten Verstecken in akademischen Einrichtungen, gewissen Verlagshäusern, ihren mit Büchern vollgestopften Studierzimmern. Schon jetzt wirken sie in Schulen und Kindergärten.

Ja, bereits in den Kindergärten werden unsere Kleinen von antibürgerlicher Propaganda erfasst, von langer Hand vorbereitet und mit dem Etikett des verpflichtenden Kulturgutes in offene Kinderohren geträufelt.

Und ja, ich bin mir nicht zu schade, mit warnendem Finger auf diese Kreationen perfider Horrorszenarien zu weisen: die Märchen, liebe Freunde, die man unseren Kleinsten bereits in einem Alter erzählt, in welchem Urängste eine günstige Aufnahme befördern.

Ich will mich hier - schon der Zeit wegen - auf ein Beispiel beschränken: Das Märchen von *Katze und Maus in Gesellschaft.* Literaturhinweise entnehmen sie bitte meinem Redemanuskript, das Sie nachher am Ausgang des Saales erwerben können.

Worum geht es?

Beide Tiere versichern sich ihrer Zuneigung und beschließen eine Lebensgemeinschaft, zunächst für den anstehenden kalten Winter. - Wie nachvollziehbar! - Diese zeitliche Begrenzung sollte an sich schon zu Zweifeln Anlass geben. Aber ich will hier nicht vorgreifen. - Katze und Maus legen sich in einem Topf einen Fettvorrat für den Winter zu. Woher stammt dieses Fett und von welcher Qualität ist es? Wie wurde es erworben? Welche Gegenleistung war zu erbringen? - Keine Erklärungen! Der Topf ist einfach da! Eine fixe Idee weltfremden ökonomischen Denkens.

Klug erscheint beiden, diesen erworbenen Vorrat zu verbergen. Aber wo? Unter dem Altar einer Kirche! beschließen sie.

Dem in die Erzählung eingebrachten Misstrauen gegenüber der Akzeptanz von erworbenen Gütern - weshalb verstecken? - tritt der Missbrauch des Gotteshauses zur Seite. Der im Glauben geeinten Gemeinde wird unterstellt, in der Fürsorge für ihren Andachtsraum zu versagen: Weshalb wird unter einem Altar nicht gesäubert? Dann müsste doch ein verborgener Fettnapf sichtbar werden. Oder rechnen die beiden Heimlichtuer etwa damit, dass oberflächlich Gefegtes unter einen Teppich gerät? - Ein hintersinniger Nebeneffekt!

Die Nutzung der Kirche als Versteck entlarvt die Absicht der Märchenerzähler, die Bedeutung eines Altars als gesegneten Ort zu verfremden und so in Kinderseelen Zweifel am Glauben entstehen zu lassen - ja, somit die Ablehnung unseres Wertesystems vorzubereiten. Feine Fäden im Gespinst eines höchst fragwürdigen Aufklärungsdenkens.

Nebenbei bemerkt, verehrte Damen und Herren, es wird dem einen oder anderen unter Ihnen nun dämmern, warum der Volksmund die jedem geläufige Aufforderung kennt: *Erzähl mir doch keine Märchen!* – Ich verweise auf den Plural! - Wer dem Volk auf den Mund schaut, gewinnt gewöhnlich besser Einsicht in den Bestand von Werten, die das Zusammenleben gedeihlich regeln, als jene Verführer, die ihre Weisheit aus einseitigen Quellen der Theorie schöpfen.

Sehen wir uns nun an, wie die Bewirtschaftung des gemeinsamen Vorrats verläuft.

Zweifelhaft ist und bleibt, trotz abschwächender Äußerungen, der ausschließliche Kirchenbesuch der Katze. Diese hatte zwar vorgeschobene Gründe – die Taufen in ihrer zahlreichen Verwandtschaft -, doch eine gläubige Maus würde nicht auf den sonntäglichen Gottesdienst verzichten. Man mag zugunsten der Verzichtsentscheidung der Maus in Erwägung ziehen, dass sie eventuell protestantisch war und nicht an das Sonntagsgebot gebunden. Stattdessen erfahren wir, sie habe aus Einsicht in das Notwendige die Erledigung häuslicher Pflichten dem regelmäßigen Kirchgang vorgezogen.

Schließlich weiß die Katze den häufigen Kirchenbesuch zu ihrem Vorteil zu nutzen und schleckt am Fettvorrat. Und darauf wird sich das Interesse der Zuhörenden unzweifelhaft richten. Die Infamie der Erfolgreichen gerät ins Blickfeld.

Das ist die Botschaft, die das Märchen transportiert: Eine für fromm und sittsam zu haltende Katze steht einer in ihrem Pflichtbewusstsein solidarischen Maus gegenüber. Zum Zweifel in Kinderköpfen an der Bestimmung eines Gotteshauses kommt nun der Verdacht hinzu, die Kirche diene als Institution vorzugsweise den Besitzenden, also den Erfolgreichen.

Und das ist der Punkt, auf den das Märchen hinführen soll!

So ganz nebenbei bleibt eine Überlegung außen vor: Nämlich die, dass es sich bei der Maus auch um ein atheistisches Tier handeln könnte. Das wäre eine individuelle Einstellung, die in unserer Gesellschaft durchaus tolerante Duldung erfährt.

Das jedoch gäbe dem Kirchgang der gläubigen Katze einen weiteren Hintergrund: Die Katze, alleine im Gebet, kann sich der verführerischen Nähe des Fetttopfes nicht entziehen. So erschiene ihr Handeln im Licht verzeihbarer Schwäche. Die zur Naschhaftigkeit neigenden kindlichen Zuhörer würden zur Solidarisierung mit der Katze neigen. Die der Katze zu unterstellende schlichte Lebensphilosophie eines egomanischen Tieres - stelle nach außen deine Bindung an normative Werte dar und sahne heimlich ab! – bliebe in diesem Kontext verschleiert.

Spätestens an der Stelle wird deutlich, wen die Katze repräsentiert: Ein auf leisen Pfoten daherkommendes Wesen, schmeichelnd und schnurrend, letztendlich ein listig zupackender Räuber. Eigenschaften, die in der Erzählabsicht den Erfolgreichen charakterisieren sollen.

Und so erfahren unsere Kinder: Ja, die Katzen sind unter uns! Sie gehen regelmäßig zur Kirche und erwecken gekonnt den Anschein bürgerlichen Gemeinschaftssinnes.

Einen Gedanken will ich Ihnen nicht vorenthalten, der sich beim Abfassen meines Vortrags aufgedrängt hat: Würde heute ein Märchen mit vergleichbaren Botschaften verfasst, hätte man sich statt der Katze einen Banker, einen Anlageberater oder Immobilienmakler als tragende Figur vorzustellen.

Ist das alles zu akzeptieren?

Ich komme an dieser Stelle auf mein Eingangsstatement zurück: In ein Märchen verpackt, wird hier fundamentale Gesellschaftskritik transportiert - ja, Kindern sogar untergeschoben! Und was ist die Lehre, die es nach der unausgesprochenen Ansicht der Erzähler zu beherzigen gilt?

Mäuse, erkennt das ausbeuterische Wesen der Katze! Stellt euch der schleichenden Entfremdung eurer Arbeit zum Nutzen einer absahnenden Gesellschaftsschicht, repräsentiert durch die Katze, entgegen!

Meine sehr verehrten Damen und Herren, liebe Freunde, das ist mit kritischem Verstand betrachtet, nichts anderes, als die Saat eines Gedankengutes, das die Vielfalt des von der Natur vorgegebenen Lebens ignoriert, das nun einmal zu unterschiedlicher Tüchtigkeit und Lebenschancen führt.

Am Ende des erzählten Geschehens steht eine grausame Metapher, welche die Haltung der Märchenerzähler unterstreicht: Frost und Schnee beschränken empfindsam den Nahrungserwerb von Katze und Maus und man beschließt, den Fettvorrat zu nutzen. Vor den Topf geführt, entdeckt die Maus, was sich zwischenzeitlich ereignet hat. Auf deren Protest hin verschlingt das Katzentier die zur Erkenntnis gelangte Maus.

Die daraus zu ziehende Konsequenz kann nur lauten: Mäuse, rottet euch zusammen! Wehret den Katzen!

Das ist der Gipfel der Untergrabung einer gemeinschaftsdienlichen Erziehung, liebe Freundinnen und Freunde und eine unzweideutige Ausrichtung gegen Grundsätze einer freien und pluralistischen Gesellschaft. Im Besonderen gegen die Regeln der freien und sozialen Marktwirtschaft, wenn am Ende nur die Macht des Stärkeren unterstellt wird, der die ausgleichende Bindung an Verträge zwischen Kapital und Arbeit ignoriert.

Das Märchen ordnet lapidar eine anfänglich sozial anmutende Aktion letztendlich der Erkenntnis unter: Arbeit und Produktivität von allen - das Fett für die, welche es abzuschöpfen verstehen!

Aber ich wiederhole mich. Sie werden zu diesem Schluss inzwischen längst selbst gekommen sein!

Ich meine, für alle hier Versammelten zu sprechen, wenn ich festhalte:

Das ist für die Mitglieder unserer Genossenschaftsbank eine nicht hinzunehmende Verdrehung sozialer Werte in der Erziehung junger Menschen zu verantwortlichen Bürgern! Dem steht unser Genossenschaftsgedanke gegenüber: Wir füllen solidarisch den Fettnapf und schöpfen ihn gemeinschaftlich ab – ein jeder nach seinen

Möglichkeiten!

Erlauben Sie mir diesen sinnhaften Vergleich, der die Aufgaben einer Genossenschaftsbank auf einfachste Weise und verständlich in unsere Wirklichkeit überträgt.

Weshalb sollen wir weiterhin solche Märchen in unseren Kinderstuben dulden? Das musste an einem Tag wie heute – und das ist meine Überzeugung! – einmal gefragt werden. Lassen Sie uns unseren Kindern eigene Märchen erzählen und den so scheinbar naiv ihrem Glück zustrebenden Märchenhelden aus alten Büchern, den Trägern einer Ideologie, die auf Trick, Betrug und Zufall beruht und damit den Erfolgreichen in unserer Gesellschaft als fragwürdige Gestalt diskriminiert, nicht länger den Zugang in unsere Kinderstuben gewähren.

Aus diesem Grund hat der Vorstand nach Anhörung des Beirats einen Märchenwettbewerb ausgeschrieben. Unser aller Beteiligung ist moralische Pflicht!

Ich danke für Ihre Aufmerksamkeit und Geduld!

Erlauben Sie mir einen Nachtrag: Ich möge Sie an den Kurs *onlinebanking für ältere Mitglieder* erinnern, hat man mir aufgetragen. Die Information gebe ich gerne weiter. Die Termine entnehmen Sie bitte der WEB-Site unseres Instituts im Internet oder dem letzten Kundenbrief.

◆

Der Wirtschaftsberater

und die Firma Alois Rumpel in Stilzchen v. d. Wald

Alois, gehst du davon aus, dass Stroh zu Gold zu verspinnen ist? Wahrscheinlich nicht!

Und das ist falsch! Ich sage dir als erfahrener Mitarbeiter in der Consulting-Branche, alles eine Frage des Marketings und des Top-Timings deines operativen Tuns.

Also höre!

Du siehst im Sommer Strohballen auf den abgeernteten Feldern zu tonnenförmigen Gebilden gedreht und von grauer Plastikfolie zusammengehalten. - Geschützt? Dass ich nicht lache! Wenn nicht bald etwas geschieht, wird die Feuchtigkeit in die Ballen kriechen und dann setzt das Verderben ein.

So gehst du zum Bauern, berichtest ihm von deinem Engagement für den Verein *Hilfe beim Überwintern von Tieren e.V.* und zeigst ihm das Empfehlungsschreiben des *Tierschutzbundes.* Er überlässt dir einige der Ballen zu einem günstigen Preis.

Das ist der Anfang.

Schicke künftig deine blondhaarige Tochter bei den Bauern vorbei und miete eine leerstehende LPG-Halle an. Du erwirbst einige tausend weitere Strohballen. Das Stroh, nach und nach von einem nicht ausgelasteten Transportunternehmen dorthin gebracht, füllt bald die angemietete Halle.

Selbstverständlich brauchst du ein bisschen Anfangskapital. Das zu beschaffen, dürfte beim gegenwärtigen Stand der Zinsen kein Problem sein. Als mittelständischer Unternehmer - *Alois Rumpel & Co GmbH, Mühlenbetriebe mit angeschlossener Futtermittelhandlung in Stilzchen vor dem Wald* - bist du der Schufa nicht negativ aufgefallen, und die Genossenschaftsbanken im Landkreis geben dir gerne Kredit.

Man kennt sich zudem.

Dem Anfang geht eine Idee voraus: Stroh brauchen außerhalb der Landwirtschaft – und die wird die Produktion von Schweinen und Rindern zu drosseln haben! - Reiterhöfe, städtische Streichelzoos, Messegestalter, Go-Kart-Parcours-Unternehmer, und seit einiger Zeit die Lagerhalter für Bio-Obst und Gemüse, auch die Forstverwaltungen. Und sollte ein Restbestand bleiben, kannst du diesen an die Hersteller von Öko-Diesel verkaufen.

Die Reihenfolge ist nicht beliebig: Sie hängt vom Bedarf der Interessenten ab, und der bestimmt deinen Preis. Voraussetzung ist, du hast ein strikt zielgruppenbetontes Marketing aufgebaut, das auch funktioniert.

Das bedeutet: Beschaffung der Abnehmerdaten, eine bundesweite Übersicht über die Entwicklung der Strohpreise im letzten Winter, daraufhin den Versand einer umfassenden Kundeninformation mit zertifizierter Produktbeschreibung der Landwirtschaftskammer und die Garantie der Einhaltung von Lieferterminen sowie einen Preis pro Tonne auf mittlerem Niveau und der Zusage von Nachlässen bei Abnahme größerer Mengen.

Dieses Angebot geht per E-Mail hinaus, sagen wir, etwa Anfang Oktober. Die potentiellen Abnehmer befreist du von der Stroh-Suche auf dem heimischen Markt, was das Einholen unzähliger Einzelangebote für sie bedeuten würde. Sie nehmen dich auf die Liste.

Ganz schön viel Arbeit, wirst du sagen. – Stimmt!

Du stellst einen jungen Betriebswirt mit BWL-Bachelor ein, mindestens zwei Jahre Berufserfahrung in einer landwirtschaftlichen Genossenschaft oder in der Lebensmittelbranche, Arbeitsgebiet Bio-Produkte und ledig, vielleicht auch geschieden, falls er sonst einen kompetenten Eindruck vermittelt. Der managt das, hat ja Zeit!

Lasse durchblicken, dass du seiner Verbindung mit deiner blonden Tochter nicht prinzipiell ablehnend gegenüberstehst.

Und wo bleibt das Gold, fragst du?

Mensch, bewege mal ein bisschen deine wirtschaftliche Fantasie! Du verdienst Kohle, also Geld nach Abzug aller Kosten und vor Steuern. - Vor Steuern! Das ist zu beachten, denn du wirst einen Teil deiner Einnahmen sofort in Gummistiefel, Overalls für Selbstbetreuer ihrer Pferde in Mietställen und Arbeitshandschuhe und was sonst in diesen Kreisen gebraucht wird, anlegen, dann in China die Artikel ordern und einen Katalog auflegen. Die Kosten gehen in die Abrechnung des Jahresumsatzes beim Finanzamt ein.

Nicht übersehen, der Stroh-Verkauf ist ein Saisongeschäft!

Mit dem verfügbaren Teil deines Geschäftes mit Strohballen kaufst du dich in den staatlich geförderten Ausbau des Stromnetzes ein. Du erhältst Anteilscheine. Das gibst du selbstverständlich in der Steuererklärung an. Nix mit dem Koffer in die Schweiz, jetzt doch nicht mehr! Bedenke die Risiken! Der Wert deiner Anteilscheine wächst von Jahr zu Jahr. Da bin ich mir sicher.

So, nun kommt die Sache mit dem Gold!

Du gibst die Anteilscheine mit Gewinn ab, bevor die Regierung wechselt und eine neue die Subventionen zum Ausbau des Stromnetzes drosselt und ersatzweise das Null-Energiehaus propagiert.

Lasse deshalb deine Genossenschaftsbanker Goldbarren kaufen. Die Zinsen sind unten, und die Inflationsrate wird steigen. Das wäre in der gegenwärtigen Situation kein schlechter Deal. Der Bedarf an Gold nimmt zu, somit auch sein Wert. Du bist auf der sicheren Seite, zumal du nun gegenüber den Banken über eine abrufbare Garantie verfügst. Du wirst sie weiterhin brauchen. Dein Geschäft steht ja hoffentlich nicht still.

Und mein Mitarbeiter, wirst Du fragen, wird das alles brav mitmachen?

Klar, was soll er anderes tun? Du bezahlst ihn doch!

Deine Geschäftsidee hat sich in Wirtschaftskreisen herumgesprochen, und deine Jahresbilanz ist positiv ausgefallen. Das regt zu Überlegungen an. Ein über die Landesgrenzen hinaus tätiger Großer der Lebensmittelbranche, ein Familienunternehmen, bietet dir die Kooperation unter Hinweis auf die Win-Win-Situation an, wenn du außer Stroh künftighin auch ungespritztes Obst einsammelst und mit ihm eine Anlage zur Versaftung erstellst. Ein Bio-Produkt selbstverständlich.

Das neue Unternehmen könnte den aus dem Fuhrpark des Konzerns auszugliedernden Altbestand an Fahrzeugen zu günstigen Konditionen übernehmen, was die Transportkapazitäten sichert. Mit dem steuerlich bald abgeschriebenen Lkw-Bestand ist die Kosten-Nutzen-Relation je Tonne niedrig zu halten, bis sich ein Eigenkapitalsockel beim Entsafter gebildet hat, der die Modernisierung des Fuhrparks zulässt. Später eine nicht zu übersehende Image-Aufwertung, auch für dich.

Du gehst unter der Bedingung auf den Vorschlag ein, dass deine blonde Tochter einen Sitz im Aufsichtsrat der Familienholding erhält. Das wird man dir nicht abschlagen, zumal die Verflechtung der Unternehmen so auch personell gesichert erscheint und den

Informationsaustausch befördert.

Es könnte sein, wie du eben gemeint hast, dass der junge Mann, der Fachschulabsolvent mit Bachelor, längst mit deiner Tochter angebandelt hat, du sie in deine Pläne einweihst und sie sagt: Alles gut und schön, Papa, aber ich bin schwanger.

Na, das ist doch keine Hürde! Noch immer kommen Kinder auch unangemeldet. Deine Tochter ist in vielerlei Hinsicht attraktiv. Sie wird einen seriösen Mann finden, einen, der in der Branche etwas gilt. Dem jungen Mann stellst du eine Abfindung in Aussicht, falls er freiwillig seinen Hut nimmt. Mittlerweile führst Du ja ein erfolgreiches Unternehmen und wirst leicht Ersatz für ihn finden. Natürlich lässt Du ihn eine Verschwiegenheitserklärung unterzeichnen. Und Du sagst ihm, dass er im Fall einer Kündigung seinerseits damit zu rechnen habe, in der Branche mit einer fünfjährigen Betätigungssperre belegt zu werden.

Geht doch nicht, dass er woanders Stroh zu Gold macht!

Du kannst seine Entscheidung in Ruhe abwarten. Soll er doch mit dem Bein aufstampfen und im Boden verschwinden, sofern ihm dein Angebot nicht passt.

Und damit basta! Hahaha . . .

◆

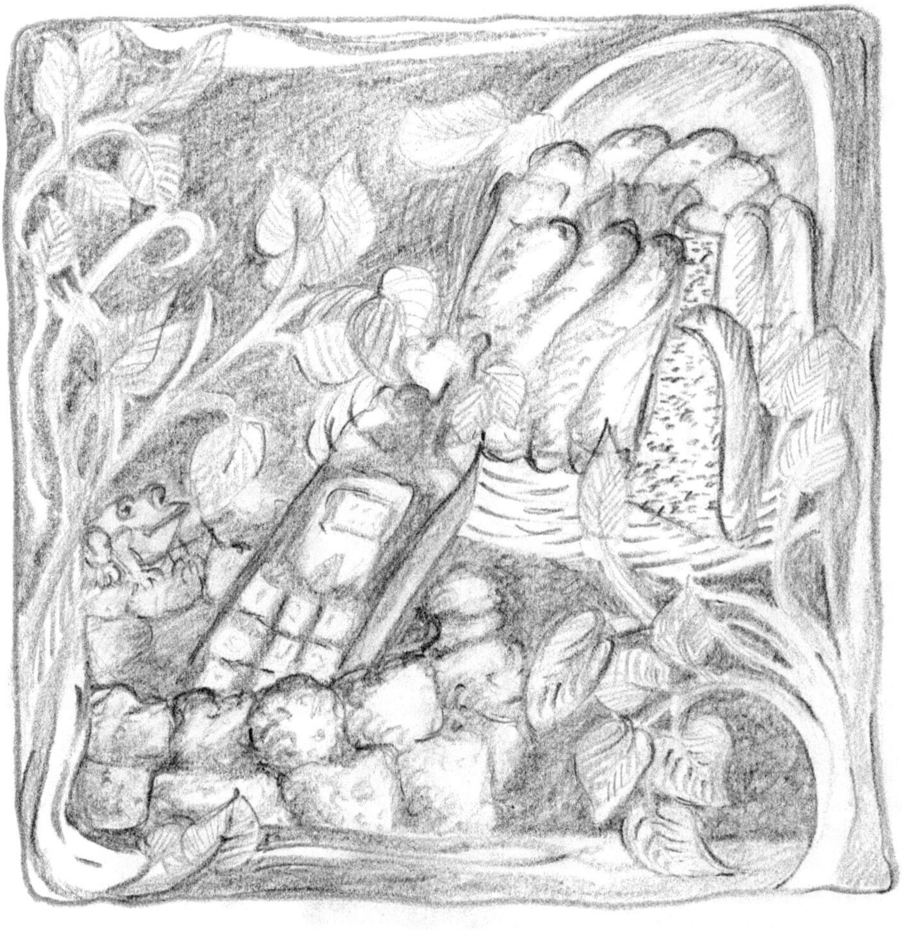

Vom Gärtner-Azubi in der grünen Hülle

Mit einer pubertierenden Tochter kann man so seine Probleme haben. Sie telefoniert schier pausenlos, macht jeden Gag der Jugendmode mit, ob Klamotten oder Sprache, schließt sich im Zimmer ein und schreibt Tagebuch, ist launisch, kommt sich zu dick vor, wird sich ab sofort vegetarisch ernähren und macht den Tennistrainer an. Es ist das Beste, man schickt sie auf eine kirchliche Internatsschule. Wirklich?

In den Ferien, an einem Freitagabend hält dann nämlich hupend ein Auto vor dem Haus. Eine Schar Jugendlicher purzelt aus dem Van - Mamas Van - und torkelt kreischend und mit Flaschen winkend auf das Gartentor zu. Der Fahrer, achtzehn, Führerschein seit vier Monaten, stützt sich mit den Knien vom Lenkrad ab und streckt die Hand mit der Zigarette zum offenen Seitenfenster hinaus. Man will die Tochter zum Disco-Besuch abholen.

Und sie ist nicht einmal sechzehn!

Was tun? Vielleicht stellst Du ihr ein Breitband-TV-Gerät ins Zimmer, sorgst für einen Kabelanschluss oder etwas Ähnliches, der auch mit dem Laptop zu nutzen ist – das Ding benötigt sie ohnehin in der Internatsschule! – und kaufst ihr ein Smartphone. Das Modell wird sie dir nennen. Und nun hoffe darauf, dass sie in sozialen Netzwerken surft, alle zwanzig Minuten von einer Freundin aus irgendeiner Ecke der Republik oder von Stränden rund um den Globus angerufen wird, Musik und Filme aus dem Netz herunterlädt und sich auf diese Weise sinnvoll beschäftigt. Sonst könnte es dir gehen, wie jenem Vater, der seine Tochter zu Selbstbeschränkung und konsequentem Handeln zu erziehen versuchte. Zugegeben altertümlich – und er hatte am Ende gewissermaßen Glück.

*

Es war einmal ein Mädchen aus gutem Haus, wie man vor Zeiten eine Familie bezeichnete, die über Geld und Einfluss verfügte, etwas später neureich nannte und heute als erfolgreich bezeichnet. Die Eltern waren nicht zuhause, und die Tochter hatte Klavierstunde bei einer Privatlehrerin, einer russischen Emigrantin. Nach der dritten Etüde zuckte die junge Dame mit den Schultern, klappte den Deckel des Flügels zu und verschwand wortlos im Garten, eher einem Park, der das Haus umgibt.

Die russische Klavierlehrerin schaute zunächst pikiert, atmete dann durch und schlich aus dem Haus. Auf diese Weise unverhofft zu bezahlter Freizeit gelangt, schwang sie sich aufs Rad und entschloss sich zu einer erholsamen Runde durch den nahen Stadtwald.

Manuela, so der Name des Mädchens, hantierte indes an dem unförmigen Handy, von Mutter überlassen, ein Uralt-Modell: Kein Verbindungsaufbau! Offenbar hat ihr Vater doch recht. Er schimpft auf die Roten im Rathaus, die diese Villengegend am Hang infrastrukturell vernachlässigten und stattdessen viel zu viel Geld für das Jugendzentrum ausgäben. Für dümmliche Sprayer und Chaoten, wie er sagt, die gerade einen soeben renovierten Altbau in eine Farbschachtel verwandeln, betreut von hilflosen Sozialarbeitern – eine weitere Belastung des städtischen Etats - von Haschisch und Alkohol um den Rest ihres Verstandes gebracht und daher aus Langeweile das Wohnviertel terrorisieren. Eine Gegend, in der einmal brave Arbeiterfamilien lebten, in lange vor dem Krieg errichteten Backsteinwohnbauten mit Etagenklo, Ofenheizung und Waschküche im Keller.

Und heute? Wohngemeinschaften! - das Wort sage ja schon alles. Alleinerziehende Mütter und Väter, Sozialhilfeempfänger und

Ausländer, die alle keine Kehrwoche kennen und die Gärten hinter den Häusern sich selbst überlassen - alles zu günstiger Miete, sagt Manuelas Vater.

Was Manuelas Vater nicht sagt, dass, seitdem zwei Streetworker dort tätig sind, ein kräftiger Mann mit Schreinerausbildung und eine entschieden auftretende diplomierte Sozialpädagogin mit Erfahrung aus sogenannten Brennpunktbezirken der Großstadt, die Szene sich zu beruhigen scheint. Er baut und repariert mit Jugendlichen an zwei Spielplätzen; sie kümmert sich um den oftmals beiseitegeschobenen bürokratischen Kram der Anwohner und gewinnt damit Einblicke in deren reale Lebenssituationen und zunehmend auch Anerkennung für ihr Kümmern. Das bedeutet, man braucht sich vor den Nachbarn nicht zu schämen, wenn sie an der Haustür läutet.

Das ist natürlich oben am Hang ganz anders.

Hier warf Manuela das klobige Handy voller Wut in ein ummauertes Loch, vormals ein Brunnenbecken und nun zur Aufnahme von abgefallenem Laub und Rasenschnitt zur biologischen Rotte umfunktioniert. Nicht aus Wut auf die Roten im Rathaus, nein, zornig auf den Vater. Alle im Internat – fast alle – besaßen so ein flaches Ding, das zwischen Büchern und Heften zu verbergen ist, nur sie nicht! Dabei wollte sie im Moment nichts anderes, als von Vilo, abgeleitet von Viola-Eleonore – so ein Scheißname für die Arme! – erfahren, wie es heute in der Reitstunde zugegangen sei.

Viola-Eleonore von Wesselbach hatte standesgemäß das Reiten zu lernen, obgleich sie, entgegen mancher Altersgenossinnen, nicht für Pferde schwärmte.

Pferde gehörten zum Gutshof der Eltern, seit sie sich erinnern kann. Aber die Reitstunde mit Hubertus ist ein etwas anderes Erlebnis als grasende Reitpferde auf der Koppel mit Eintrag im Zuchtbuch zu betreuen.

Sitzt sie im Sattel ihres Wallachs, müht sich Hubertus um die Abstände der Steigbügel, die er ihrer Beinlänge anpasst, die vorgesehene Gangart des Pferdes im Auge. Hubertus schiebt Violas Schenkel in die richtige Position, auch ihr Hinterteil, drückt sie an Unterbauch und Po zum aufrechten Sitz, rückt sie in der Hüfte zurecht und winkelt ihre Beine an, tritt drei Schritte zurück und korrigiert.- Das alles tut er mit Bedacht.

Vilo hatte Manuela berichtet, dass sie während dieser Prozedur ein gewisses Kribbeln spüre, vom Rücken abwärts. Unter Gekicher malten sich die Teenies aus, wo am Körper entlang dieses Kribbeln gleitet, wenn Hubertus mal kräftig, mal sachte zupackt. Und genau das wollte sie heute von Vilo erfahren. Ging nicht mit dieser Krücke von Handy! Vom Festnetz aus? – Dann taucht eventuell Mama auf, und es müsste bei Andeutungen bleiben. Frustrierend! Also verzog sie sich auf ihr Mansardenzimmer und blätterte in der *Bravo*.

*

Unruhe im Haus - die Eltern waren zurückgekehrt. Die Richtung von Papas Schritten auf dem Flur ließ vermuten, dass er gleich vom Arbeitszimmer aus telefonieren würde, seine erste Beschäftigung, wenn er nachhause kommt. Das Klack-Klack von Mamas Absätzen tauchte im Haus mal hier mal dort auf. Manuela schob die *Bravo* unter das Kopfkissen.

Das war weise, denn die Mutter stürzte ins Mädchenzimmer: Wo hast du das Handy, Manuela? Warum? fragte die Tochter möglichst gleichgültig und legte das vorsorglich zur Hand genommene Vokabelheft zur Seite.

Warum wohl? fragte gereizt die Mutter und sah sich im Zimmer um. Ich brauche es! Meins liegt vermutlich auf der Konsole beim Friseur, Papa telefoniert, und deines ist nicht in der Schublade im Flur. Wenn ich nicht gleich anrufe, ist das teure Ding weg!

Tja, da hatte sie den Salat! Deutlicher gesagt, den Bio-Müll, als sie zur Empörung der Eltern die Umstände des Verbleibens ihres Handys aufdeckte. Alles Begründen half nicht, auch nicht aus Trotz vergossene Tränen. Sie wurde mit der Taschenlampe in den Garten geschickt, stocherte angeekelt zwischen moderndem Laub herum. Erfolglos. Das war vorauszusehen.

Am nächsten Morgen kam der Gärtner mit Azubi Tobias zur Gartenpflege. Der stieg in die Grube und hielt nach kurzem Wühlen im Moder das Handy hoch. Manuela schaltete es ein und kam erstaunlicherweise sofort ins Netz.

Na also, dachte sie, das war's doch!

Keineswegs! Denn es sei nun an ihr, sich angemessen zu bedanken, bei Tee und Kuchen nach Feierabend, forderten die Eltern. Aber nicht bei gekauftem Kuchen, es müsse ein von ihr gebackener sein, damit ihre Wertschätzung für selbstloses Wühlen im gammeligen Moder durch ein bisschen Eigeninitiative auch deutlich würde.

Die Eltern waren konsequent. So buk sie, fand Spaß an der Tätigkeit, überzog den Rührkuchen mit einer Schokoladenglasur und stellte ihn zum Abkühlen in den Keller.

Gegen drei am Nachmittag machte sie sich im Garten auf die Suche nach Tobias. Im äußersten Winkel, am Zaun zum Nachbarn, entdeckte sie ihn. Der Meister schnitt die Heckenrosen, die den Zaun einzudrücken drohten. Tobias zog mit Arbeitshandschuhen die dornigen Zweige aus dem Gestrüpp, häufte sie über dem gekiesten Weg auf und zerteilte sie mit der Gartenschere in transportable Stücke. Die Schubkarre stand bereit.

Manuela kam quer über die Wiese, nicht über den knirschenden Kiesbelag des Gartenwegs. Aus der Arbeit heraus nahmen sie die Männer nicht wahr. Und während sie sich unbeachtet näherte, stellte sie fest, dass Tobias ein recht ansehnlicher Bursche war: dunkelblondes welliges Haar, fein geschnittenes Gesicht, mittelgroß und sportlich schlank, angenehme Bewegungen – und einen goldenen Knopf im linken Ohr. Weder den Typen aus dem Jugendzentrum vergleichbar, noch einem der selbstverliebten Boys aus ihrem Bekanntenkreis. Der grüne Overall stand ihm gut, fand sie, sagte aber nur laut: *Hallo*!

Der eine dachte an den baldigen Feierabend, der andere an die Arbeit, die bis dahin fertig sein sollte, und dann kommt ein junges Ding daher, sagt einfach nur *hallo* und lächelt. Der Alte fand als erster Worte, und schlagfertig war er auch.

Da kommt Hilfe, meinte er zu Tobias. Und dann noch: Hol ihr doch schon mal ein Paar Arbeitshandschuhe im Auto.

Der lachte und war auch nicht auf den Mund gefallen: Kriegt sie auch ne grüne Hose, Chef?

Nee, gab der zurück, die Größe ham wir nich dabei, muss ohne gehn.

Die übliche Witzelei unter Männern und auch deren Gelächter. Manuelas Gesicht überzog ein roter Schimmer. Aus dem Mädcheninternat kannte sie derartige Scherze nicht. Aber seien wir nicht voreilig: Die Rötung konnte auch von der tief stehenden Herbstsonne verursacht worden sein.

Was is, Mädel, willste nun helfen oder nicht? Der Tobias tut dir die Schnipsel von den Zweigen in die Schubkarre und du kippst sie vorne über der Grube ab. Die Grube kennste ja. Wär doch'n Vorschlag, oder nich? lockte der Alte.

O Gott, ja – diese Grube! Manuela wusste plötzlich wieder, weshalb sie hier stand. Es gebe nachher Tee auf der Veranda und Kuchen, von ihr gebacken, weil der Tobias das Handy aus der Grube gezogen habe, sagte sie.

Nee, nee, meinte der Meister und lachte. Dazu lass ich dir den Tobi da. Ich muss das Auto pünktlich auf den Betriebshof bringen. Die Chefin wird sonst unruhig. Tobi macht den Froschkönig und wird von deinem Tellerchen speisen, Mädel.

Er war der Meinung etwas Lustiges gesagt zu haben, stattdessen verlegene Gesichter. Bei Gott, diese Jungen kennen keine Märchen mehr!

Also, geh jetzt mal mit der jungen Dame zur Veranda, sagte der Meister zum Azubi. Ich kümm're mich hier um den Rest. Einer von uns muss ihn schließlich essen, den Kuchen, den man für uns gebacken hat.

Dass er bei Schnitzel und Bier mitgekommen wäre, sagte er nicht. Noch zögerte der Junge und schnitt aus Unentschlossenheit die Rosenzweige kleiner als nötig.

Geh schon! forderte ihn der Alte auf und begann die Schubkarre zu beladen.

Komm halt! sagte Manuela, und Tobias folgte ihr.

Papa wartete vor der Veranda. Tobias Fabel, stellte sich der Junge vor und streifte die Hände am grünen Overall ab. Schön, dass Sie da sind, sagte der Vater und reichte ihm die Hand. Die Mutter füllte auf der Terrasse Früchtetee in Becher. Das ist Tobias, der Retter des Handys, meinte der Vater launisch. Die Mutter nickte freundlich und drückte dem Gast einen Teebecher in die Hand. Der Schokoladeüberzug des Kuchens glänzte sattbraun in der herbstlichen Abendsonne.

Danke für den Kuchen, stammelte Tobias.

Unvermittelt stellte er den Becher ab, zog aus der Brusttasche des Overalls sein Handy hervor, eines mit dem angebissenen Apfel als Logo. - Entschuldigung, murmelte er, muss mal eben Mama anrufen. Die wartet auf mich in der Stadt.

Anschließend durfte er sich ein bisschen ausfragen lassen. Ob ihm die Ausbildung Spaß mache? Gärtner sei doch ein schöner Beruf. Landschaftsgärtner! - verbesserte Tobias, kein Gemüse im Treibhaus. Ich möchte mal Landschaftsarchitekt werden. So, so, meinte der Vater, da haben Sie ja noch einiges vor sich.

Und dann ließen die Eltern Manuela und Tobias auf der Veranda unter sich. Manuela lud ihm ein weiteres Stück Kuchen auf den Teller. Langsam, langsam! mahnte Tobi. Sonst platzt der Frosch bei dieser Ernährung. Meine letzte Stulle hab ich erst vor einer halben Stunde verdrückt. Mama guckt beleidigt, wenn ich mit Resten nach Hause komme.

Manuela lachte lauthals, kniff dann die Augen zusammen. Hi Frosch! meinte sie cool. Ich könnt ja mal versuchen, dich gegen die Wand zu werfen. Aber ich ahne bereits, wer sich unter der grünen Hülle verbirgt.

Also, da war es doch, das Märchen!

Tage darauf erhielt Tobias eine SMS: hi, komm mal aufs schloss du frosch? – erkläre mir das handy – so eins wie du hast – geil – tu gleich meine nummer in den speicher – ok? – mano

◆

Die Rückkehr

Samstagmorgen, Familie Vetter frühstückt.

Hans-Heinrich Vetter - der Vater, Gabriele Dinkel-Vetter - die Mutter und die Söhne Carsten Vetter und Torsten Dinkel. Eine ganz normale Familie also.

Papa Hans-Heinrich faltet die Zeitung, streicht neben seinem Kaffeebecher die Seite glatt. „Hört euch das mal an! Ein verschwundenes Mädchen ist plötzlich aufgetaucht."

Welches Mädchen?

Papa liest vor: „*Huzelbach vor dem Wald . . .*" Mama unterbricht. „War im Nachbarort, Hans. Erinnerst du dich?" Papa erinnert sich nicht. „Aber ich!", meldet sich Carsten. „Oli hat mir das in der Schule erzählt, weil seine Tante in Huzelbach wohnt."

„Und wer hat jetzt das kleine Mädchen nach Hause gebracht?", möchte Torsten wissen. Für ihn handelt es sich ganz klar um ein kleines Mädchen.

„Kein kleines Mädchen, Torsten. Ist schon älter, gerade volljährig gewesen", entgegnet Papa. „Soll ich jetzt lesen?" Das soll er.

„*Vor einem Jahr war Christina S. aus Huzelbach spurlos verschwunden. Vermisstenanzeige, Suchaktionen der Polizei mit Hunden und Hubschraubern. Auch die bundesweite Ausschreibung blieb ergebnislos. Ein unaufgeklärter Fall, wie er leider gar nicht so selten vorkommt. Der Fall geriet in Vergessenheit und das Leben im Dorf normalisierte sich. Selbst die untröstlichen Eltern wünschten, dass Edith, die zwölf Jahre jüngere Schwester, vom Verlust unberührt leben sollte. Im Dorf war bekannt, dass zwei Jahre zuvor Christinas Mutter verstorben war, der Vater rasch wieder geheiratet hatte und die zweite Frau die kleine Edith mit in die Ehe brachte.*

„Ist doch normal, dass ein geschiedener Vater wieder heiratet, gell Papa!", fällt ihm Carsten ins Wort. Papa sieht kurz auf, liest dann weiter.

In der letzten Woche, also fast genau ein Jahr nach ihrem Verschwinden kehrte Christina S. überraschend nach Huzelbach zurück. Sie war in einem Kleinwagen vor ihrem Elternhaus vorgefahren. Sie war nicht nur unversehrt, im Gegenteil, das Auftreten der inzwischen selbstbewussten junge Frau bot keinerlei Anhaltspunkte, dass sie verzweifelt umhergeirrt oder dunklen Gestalten in die Hände geraten war.

Auf Fragen unseres Reporters nach ihrem zwischenzeitlichen Aufenthalt gab die Neunzehnjährige nur die lapidare Erklärung ab: Frau Holle und . . . „

Torsten lacht auf - „Ach, die heißt ja, wie die aus dem Märchen!" - rührt dann nachdenklich im Kakaobecher. „Weshalb steht nicht in der Zeitung, warum sie abgehauen ist?" Dass sie abgehauen ist, steht für ihn fest. Torsten hat auch eine Erklärung: „Vielleicht ist die neue Frau eine böse Stiefmutter, so eine wie bei Schneewittchen. Kann doch sein, gell Mama?"

„Torsten, die echte Mama ist manchmal auch nicht anders als eine böse Stiefmutter", wirft Carsten ein.

Carsten, vier Jahre älter als Torsten, kann sich an seine Mutter erinnern. Zwischen den Eltern waren Streitereien an der Tagesordnung. Seine Mutter verschwand dann oft für Tage. Einmal ist er während eines Streits geflüchtet und Papa musste ihn suchen, fand ihn nach zwei Stunden oben am Waldrand, keine dreihundert Meter entfernt. Dort saß er auf der Bank mit Max, seinem Teddy, auf dem Schoß.

Damals im Sommer ist Papa mit ihm alleine an die Ostsee gefahren. Als sie zurückkamen, standen Umzugkartons im Flur. Carsten hat am Abend im Bett geweint, und Papa blieb bei ihm, bis er eingeschlafen war. Am nächsten Vormittag fuhr ein kleiner Laster vor und Mama lud mit Dieter die Umzugkartons auf, strich ihm über die Haare und sagte, er könne sie jederzeit besuchen, wenn er das möchte.

Das hat er auch getan, doch bei Mama und Dieter war ihm langweilig. Außerdem nahm Dieter Mama ständig in die Arme, so als ob sie nur ihm gehöre. Das gefiel Carsten nicht. Dieter hatte ihm einen Plüschhund gekauft. Wozu? Carsten war sechs, spielte nicht mehr mit Plüschtieren, lieber mit Papa und der Eisenbahn. Außerdem hatte er Max. Was sollte da ein Plüschhund? Dann kam Gabi mit dem zweijährigen Torsten. Ein Geschwisterchen hatte er sich schon immer gewünscht.

„Gell", meldet sich Torsten, „echte Familien sind auch nicht immer normal." Natürlich spürt er, dass in seiner Familie etwas anders ist als bei Familie Gromer im Reihenhaus nebenan. Gromers sind aber sowieso blöde. Die behalten die Bälle ein, die er oder Carsten von der Wiese hinter dem Haus in ihren Garten schießen. Wirklich nur aus Versehen! Die geben die Bälle nur zurück, wenn man sich entschuldigt. Hinter Gromers Haus sind Blumenbeete, keine Wiese. Gromers haben drei Mädchen, und die kicken nicht. Diese doofen Zicken rufen gleich die Eltern, wenn ein Ball auf ihr Grundstück geflogen ist.

„Wollt ihr nun weiter hören, was in der Zeitung steht?" Papa hat inzwischen den Artikel zu Ende gelesen.

„Wart mal, Papa!" wirft Carsten ein „Oli hat erzählt, dass die Tante gesagt hat, es soll zwischen dem Mädchen und der Frau, die nicht seine Mutter ist, immer Streit gegeben haben. Die wollte nicht, dass das Mädchen abends aus dem Haus geht, und das war doch schon fast erwachsen. Sie sollte auf die Kleine aufpassen, weil die Mutter selbst wegwollte. Der Vater ist, glaube ich, als Fernfahrer unterwegs!"

„Also, dann hört euch jetzt das Ende des Artikels an! Ja?" - „Okay, Papa!" sagt Carsten.

Torsten ist noch nicht soweit. „Aber es gibt keine Frau Holle, die Betten ausschüttelt und dann schneit's auf der Erde", ereifert er sich. „Federn sind doch kein Schnee! Und Brote rufen nicht aus dem Backofen, und Apfelbäume können auch nicht sprechen. Ist alles Quatsch in den Märchen!"

„Jetzt halt doch mal vorübergehend den Mund, Torsten, und lass Papa zu Ende vorlesen." Mama legt ihm eine Brötchenhälfte mit der Nusscreme aus dem großen Glas auf den Teller und füllt die Becher mit Kakao auf.

„Also dann. . .", setzt Papa fort. . . *Auf Fragen unseres Reporters nach ihrem zwischenzeitlichen Aufenthalt gab die Neunzehnjährige nur die lapidare Erklärung ab, Frau Holle und Herr Sandmann hätten ihr geholfen.*

Was wie im Märchen klingt, ist auch fast eines. Das haben weitere Recherchen ergeben. Emil Sandmann, pensionierter Polizist, hatte die junge Frau an einem Abend im Juli letzten Jahres auf der Landstraße zwischen Huzelbach und Kromstadt bemerkt. Es goss in Strömen, und sie war ohne Schirm unterwegs. Er hielt an und ließ sie einsteigen. Dann erst erkannte er Christina, die Tochter eines Vereinskameraden. Nach ihren Beweggründen auf dem Weg ins Ungewisse brauchte er sie nicht zu fragen. Was im Haus der Familie S. ablief, beobachtete man im Dorf genau. So nahm er sie mit nach Kromstadt – das Mädchen war volljährig! -, und brachte sie zu Frau Holle.

Margarete Holle heißt tatsächlich so. Er kannte sie noch von Amts wegen als Anlaufstelle für junge Menschen, die nicht mehr aus noch ein wissen. Und auch diesmal konnte sie helfen. Es wurde Stillschweigen vereinbart und Christina S. blieb.

Nun, nach einem Jahr trat sie den Rückweg an. In einem geliehenen Auto. Den Führerschein hatte sie mit Unterstützung von Frau Holle zwischenzeitlich erworben. Auch fand sie mit deren Hilfe Arbeit in einer Großbäckerei. Seit einigen Monaten fährt sie morgens ab fünf Backwaren aus, ist pünktlich bei den Kunden: Supermärkte, Krankenhäuser, Hotels und Filialen der Großbäckerei im Umkreis.

Sie sei nur, wie sie unserem Reporter abschließend sagte, für einen kurzen Besuch nach Huzelbach zurückgekehrt, um die Ungewissheit aufzulösen und den Vater wiederzusehen.

Wer vermag noch an der Existenz einer Frau Holle zu zweifeln, die einem durchnässten Wesen ohne Perspektive einen Platz bietet? Einen Ort, von dem aus Christina S. lernen konnte, ihr Leben in die eigene Hand zu nehmen!"

Während Papa vorlas, hatte Carsten den Kopf auf den Arm gelegt. Papa schiebt die Zeitung zur Seite, Torsten gähnt, beißt vom Rest seines Brötchens ab und rührt nun im Kakao-Becher.

„Also gibt es doch eine Frau Holle", sagt er ins Umrühren versunken. „Ich habe sie mir nur anders vorgestellt."

◆

Vom tapferen Claus-Heinrich Schneider

Die Klänge des *Winters* aus Vivaldis *Vier Jahreszeiten* verschweben im Raum, dargeboten von der *Camerata O*. Der Herr Konsul posiert zur Begrüßung vor den Musikern, gibt der in lockeren Gruppen gescharten Festgesellschaft Zeichen näher zu kommen.

Ein Sonntagvormittag im Februar. Doktor Lothar von Kramp hat zum Neujahrsempfang geladen, Anwalt und nebenbei Konsul der westafrikanischen Republik Nanda. Etwa drei Dutzend Persönlichkeiten in Festtagsrobe sind der Einladung in das geräumige Vestibül der Kanzlei gefolgt, begleitet von Gattinnen oder Lebensabschnittspartnern. Ein Treffen geschäftlich Verbundener der regionalen Crème.

Doktor von Kramp lächelt verlegen, zählt mit gesenktem Haupt und unterdrückter Stimme *eins – zwei – drei*. Rauschen in den Lautsprecherboxen. Der Hausmeister eilt herbei und überprüft den Halt des Mikrofons am Revers seines Chefs, folgt mit streifender Hand dem Kabel bis zum Sender am rückseitigen Hosenbund und befestigt einen gelockerten Anschluss. Diese technische Mission unterstützt der Hausherr mit beidseitigem Anheben der Jackenschöße, verdreht unter stoischer Hinnahme der Tücken einer nicht funktionierenden Technik die Augen. Ein seltsamer Anblick! Der Hausmeister erhebt sich mit rotem Kopf aus der gebückten Montagehaltung: die Jackett-Schöße fallen. Abwechselnd bewegt der Doktor die Schultern und überprüft den Sitz der Fliege am Kläppchenkragen. „Hm, hm“, krächzt er mit gesenktem Kinn in das Mikrofon am Jackenaufschlag.

Und dann beginnt er, wie jedes Jahr:

„Sie so zahlreich, wie stets zum Jahresbeginn, als Gäste in diesem Haus begrüßen zu dürfen, ist mir an diesem wunderschönen Wintermorgen eine große Freude. Es ist uns eine Ehre, den Herrn Abgeordneten Hinz, Sie, sehr verehrte Frau Landrätin Dr. Sommer und unseren hochverehrten Herrn Oberbürgermeister Kurz sowie . . ." - es folgen Namen weiterer Gäste - „unter uns zu wissen."

Die weiteren namentlich Erwähnten nicken diskret, mit einem geschmeichelten Lächeln oder überhaupt nicht, selten erstaunt. Wer unerwähnt bleibt, sieht auf seine Fußspitzen oder mustert das Outfit der Nachbarn.

Auch Claus-Heinrich Schneider ist anwesend, der bunte Vogel in der versammelten High Society: Von grauen Strähnen durchzogenes langes dunkles Haar, am Hinterkopf zum Zöpfchen gebunden, stechender Blick aus grauen Augen, unter dem schwarzen Samtjackett ein pinkfarbenes Hemd mit Rüschen, die Hose in Aubergine und an den Füßen barock anmutende schwarze Schnallenschuhe.

Er wurde nicht erwähnt.

Man kennt ihn, den Boutiquenbetreiber und passionierten Motorradfahrer. Sobald er sich nähert, fixiert man milde lächelnd das eigene Sektglas. Er gilt als Abenteurer, als in diesem Kreis geduldetes Enfant terrible und seine Geschichten möchte man eigentlich nicht hören. In unregelmäßigen Abständen bringt er sich nämlich mit seinen Abenteuern ins Gespräch, in der Regel spektakuläre Reisen auf dem Motorrad, vor etlichen Jahren auf der Rallye-Strecke Paris – Dakar. Danach war er angeblich in China auf der Seidenstraße unterwegs. Neuerdings, das ist gerüchteweise zu hören, plane er, den amerikanischen Kontinent von Alaska bis Feuerland zu durchqueren.

Nun ja, wirtschaftlich scheint er gut abgefedert zu sein. Die zwei Boutiquen laufen auch ohne ihn gut. Zudem ist sein Schwiegervater der Verleger und Druckereibesitzer Curdis.

Der Konsul hat seine Rede beendet und schaut nun gespielt überrascht auf die Flügeltür zum Flur. Die öffnete sich gerade, diskret aufgeschoben von seiner Sekretärin, und zwei dunkelhäutige Frauengestalten betreten den Saal, Afrikanerinnen in wallenden bunten Baumwollgewändern.

„Ich begrüße Madame Kerim-Bolóu und Madame Oúma-Kisagu!", ruft ihnen der Konsul mit ausgestreckter Hand entgegen. Verhaltener Beifall für die attraktiven Frauen in den grellbunten Stoffbahnen und den gewickelten Kopfaufbauten, die winkend und lachend auf den Konsul zustreben. Der erwartet sie mit ausgebreiteten Armen und Begrüßungsküsschen.

Eine der beiden Damen deutet auf das Mikrofon am Revers des Konsuls, beugt sich zu ihm und haucht einen Satz in einer der Sprachen Nandas in den Raum, vermutlich eine Begrüßungsformel.

Madame Kerim-Bolóu winkt ab, als der Hausmeister mit Standmikrofon und Kabelrolle herbeieilt, und erklärt der Festgesellschaft mit voluminöser Stimme in bestem Deutsch, dass sie zwar Nationaltracht trage, aber bereits seit über zwanzig Jahren in der Bundesrepublik lebe und an einer Universität afrikanische Literatur lehre. Und heute vertrete sie zusammen mit ihrer Begleiterin ihre Heimat, die Republik Nanda. Lysienne Oúma-Kisagu, erst am Vortag aus Lyon eingetroffen, habe die letzten vier Monate für eine Frauenorganisation als Ärztin im Norden des Landes gearbeitet. Gekommen sei sie, die großzügige Spende entgegenzunehmen, welche der Konsul eingesammelt habe. Aus diesem Anlass wolle sie sogleich über ihre Tätigkeit in der Republik Nanda berichten, in französischer Sprache. Dass die in dieser Gesellschaft verstanden werde, davon gehe sie aus, schon der Grenznähe des Städtchens O zu Frankreich wegen.

Der Hausmeister erscheint abermals mit dem Mikrofonständer und der Kabelrolle und nach einer Weile füllt ihr kehliges Französisch, von Lautsprechern verstärkt, den Raum.

Der Norden Nandas, eine Übergangszone zwischen dem Regenwald im Süden und der großen Wüste sei weitgehend Trockensavanne und noch immer von den Zentren des Landes abgeschnitten, erklärt sie. Grenzgebiet, in das viehzüchtende Nomaden aus Nachbarländern seit einigen Jahren während der Trockenzeit vermehrt einfallen. Sie wichen Konflikten aus, die von islamischen Rebellen ausgelöst würden. Eine Ursache sei wohl die intensive Suche westlicher Konzerne nach Bodenschätzen, vor allem nach Uran. So nähmen die einfallenden Nomaden der in dörflichen Gemeinschaften von Feldanbau und Kleintierzucht lebenden Bevölkerung die Ressourcen: Weideflächen und vor allem das Wasser aus den Tiefbrunnen.

Der nach Süden vordringenden Wüste habe man in den zurückliegenden Jahren mit der Pflanzung trockenbeständiger Buschsetzlinge zu widerstehen versucht, in den ersten drei Jahre vor allem von den Mädchen der Dörfer in mühsamer Weise bewässert. Erst dann seien die Wurzeln der Jungpflanzen so weit in die Tiefe des sandigen Bodens vorgedrungen, dass sie ohne Hilfe gediehen und mit ihrem verzweigten Wurzelgeflecht den Boden hielten.

„Et pendant une nuit, tout était en vain!"

Erst ästen die Kamele der Nomaden die Büsche kahl, und anschließend würden diese aus dem Boden gezogen und verfeuert. Was es an sonstigen beweidbaren Flächen gebe, ohnehin karge Steppe, sei nach dem Durchzug der Nomaden bis zur nächsten Regenzeit nicht mehr nutzbar.

Außer den latenten Spannungen zwischen muslimischen Bevölkerungsgruppen und animistischen, aber vor allem der christlichen, beunruhige die Bevölkerung zusätzlich der Pistenbau.

Pisten, die dem Transport von Material und Menschen in die nördlichen Nachbarländer dienen, zu Stützpunkten des Militärs und zu den Niederlassungen der Minengesellschaften und ihren großen Tagebauten, betont Madame Oúma-Kisagu.

Nein, nicht in Nanda, in Lyon lebe sie, erklärt sie auf eine Frage aus dem Publikum. Sie sei nur vorübergehend zur Betreuung medizinischer Projekte im Auftrag kirchlicher Hilfsorganisationen dort und unterstütze den einheimischen Gesundheitsdienst sowie die nationale Frauenorganisation. Vorwiegend ginge es um Impfmaßnahmen und Kampagnen zur Empfängnisverhütung, auch um AIDS-Aufklärung. Das Virus breite sich zunehmend entlang der Pisten nach Norden aus. Hierbei mit Aufklärung und der Ausgabe von Kondomen etwas erreichen zu wollen, das sei wie einem auf der Suche nach Nahrung und Partnerinnen durch die Savanne streifenden Nashornbullen einen Kompass an den Schwanz zu binden.

Ça n'a aucun sens, sagt sie und hebt die Schultern.

Der Vergleich erregt Heiterkeit. In der von fremder Not in einem fernen Land durchwaberten Feststimmung ein willkommenes Ventil.

Der Vortrag ist zu Ende und die afrikanischen Damen schieben sich nun durch die Festgesellschaft, beantworten die eine oder andere Frage. Komplimente für ihr außergewöhnliches Erscheinungsbild nehmen sie gelassen entgegen.

Pluspunkte für Afrika auf deutschem Parkett. Der Spendenbetrag dürfte sich unerwartet erhöhen.

In einer Fensternische, halb vom Vorhang verdeckt und unbeachtet von den palavernden Festgästen, kritzelt Claus-Heinrich Schneider eilig Sätze auf ein Blatt seines kleinen Notizblocks.

Über seine Reisen hat Claus-Heinrich Schneider Bücher veröffentlicht, zusammen mit einem Redakteur aus dem Verlag seines Schwiegervaters. Der habe Claus-Heinrich die Hand geführt, wird gemunkelt. Was jedoch in den Büchern beschrieben ist, das hat nur er selbst gesehen und erlebt. Die Partnerschaft hat den Büchern nicht geschadet.

Und dann sind darin auch noch die Bilder, gute Bilder! Fotos, die in der Regel Willy Willitsch gemacht hat, ein Profi der Reisefotografie und Freund von Claus-Heinrich, vom Motorradfahren besessen wie er. Die Fotos vermitteln den Eindruck, als sei der Abenteurer Claus-Heinrich mit seinem Motorrad alleine in den abgelegenen Winkeln dieser Welt unterwegs. Willy Willitsch war aber stets dabei. Das hat den Büchern gleichfalls nicht geschadet.

Fast jeder hier hat diese Bücher im Regal. Auch gelesen? Vermutlich meist nur darin geblättert um mitreden zu können.

Was schreibt Claus-Heinrich in der Mittagssonne dort hinten auf der Fensterbank? Im Gegensatz zur Mehrheit der Festgäste, die sich am Buffet bei artigem Geplauder bedienen, berührt ihn die Not, über die Madame Oúma-Kisago berichtet hat, immer noch. Claus-Heinrich kaut am Druckknopf des Kulis und blickt suchend über die Versammlung, dann entdeckt er seinen Schwiegervater.

Federnden Schritts eilt er auf ihn zu, drückt ihm das abgetrennte Blatt in die Hand. Der überliest, reicht es an den Konsul weiter. Dieser tuschelt mit den Damen aus Nanda. Madame Kerim-Boùlu übersetzt für Madame Oúma-Kisagu. Beide kichern vernehmlich, Köpfe wenden sich ihnen zu. Die Literaturdozentin, noch immer erheitert, zeigt sich entschlossen, die aufgekommene Neugierde zu befriedigen.

Ein Herr Claus-Heinrich Schneider biete an, berichtet sie, mit dem Motorrad durch Nandas Norden zu streifen, ein Nashorn zu suchen und, falls er auf eines träfe, das Tier mit dem Motorrad bis zu einem gesicherten Ort zu treiben. Von diesem aus könnten es Ranger in den Zoologischen Garten der Hauptstadt verbringen, damit es den stolzen Völkern Nandas zum Nachweis diene, dass solches Großwild auch gegenwärtig zur ihrer heimatlichen Fauna zähle. Über seine Expedition wolle er hernach mit Willy Willitsch ein Buch herausgeben, eventuell auch einen Film drehen. Der Reinerlös aus dem Verkauf beider Produkte käme dem Spital in Lumabu zugute.

Enthusiastischer Beifall über verhaltenem Gelächter und keine Kommentare! Fantasie ist in dieser Runde vorwiegend bei Finanztransaktionen gefragt. Bei Sekt und Häppchen ist man sich hinter vorgehaltener Hand einig: Typisch Claus-Heinrich, wieder mal ein Abenteuer aus dem Hut gezaubert.

*

Das Unternehmen kann erst nach der Sommerregenzeit stattfinden. Während dieser sind nur die Pisten im Süden des Landes mit Lastwagen zu befahren. Und dort kommt man immer an, ob mit dem Flugzeug oder per Schiff. Angrenzende Landstriche zu erreichen ist in jedem Fall ein Abenteuer, erst recht aber, auf dem Motorrad in den äußersten Norden Nandas zu gelangen. Schließlich die Buschsavanne im anvisierten Gebiet - Pfade auf knochentrockenem Untergrund, der ungewisse Zugang zu Trinkwasser. Das Klima der Sahel-Zone bestimmt hier das Leben und unübersichtliche Machtstrukturen bringen zusätzlich Unsicherheit.

So nehmen sich die beiden Freunde Zeit, die Reise vorzubereiten. In O hat man ihr Vorhaben fast vergessen, als sie an einem Morgen im späten September auf ihren Enduro-Maschinen Richtung Marseille starten mit erstaunlich wenig Gepäck. Was brauchen sie schon außer Kreditkarte, Regenschutz, Wechselwäsche und Zahnbürste auf dem vergleichsweise kurzen Anreiseweg zum Flugplatz zur wöchentlichen Linienmaschine nach Nanda? Gepäck und Ausrüstung sind bereits mit dem Schiff unterwegs.

Regional-TV Horizonte überträgt die Verabschiedung auf dem Marktplatz.

In Nandas Hauptstadt ist man informiert. Aber mit Gottes oder Allahs Hilfe war kein Nashorn aufzutreiben, das man im Norden hätte aussetzen können. Die Chance einer solchermaßen wertvollen Eigenwerbung wollte man aber nicht ungenutzt lassen, hatten doch die Fremden im fernen Allemagne über die Botschaft versichert, alle entstehenden Kosten selbst zu tragen.

Was war zu tun?

Im Nachbarland existiere eine kleine Gruppe Spitzmaulnashörner in einem Reservat. Dort sei man bereit, Filmaufnahmen zuzulassen, wenn die Tiere durch die Aktion nicht zu sehr beunruhigt würden. - Das war die Lösung!

Dieses Angebot hatte mit einer Treibjagd per Motorrad zwar nichts zu tun – ganz gewiss nicht! Für ihn sei das aber ein lösbares Problem, versicherte der findige Fotograf und Filmer Willy Willitsch und verwies auf die Möglichkeiten moderner Videotechnik.

Der Lebensraum von Spitzmaulnashörnern ist die buschreiche

Savanne diesseits und jenseits der nördlichen Landesgrenze Nandas. Willy meinte, die das Tier treibenden Motorradfahrten durch das Gelände könne man dort ohne Nashorn aufnehmen, das Nashorn selbst dann im Reservat. Bei den erlaubten Fahrten dort mit dem Jeep der Parkverwaltung würden sich die Nashörner sicherlich irgendwann einmal in Bewegung setzen und ihre Speedfähigkeit aufnahmegerecht in Szene setzen, immerhin bis zu 12,5 ms!

Aus den Filmsequenzen - Motorradfahrt in Buschsavanne in Nanda und Nashörner im Reservat - könnte man dann das erwünschte Film-Epos zusammenschneiden, es durch Überblendungen eventuell noch überzeugender gestalten. Und der Bildband sollte mit den Möglichkeiten der Bildbearbeitung erst recht kein Problem sein. Es sei für einen guten Zweck und die Gäste des nächsten Jahresrückblicks des Konsuls sollten ja nicht enttäuscht werden in ihren Erwartungen.

*

Mitte November sind die beiden Nashorntreiber aus Nanda zurück, - gebräunt, mit Bärten und lehmverkrusteten Motorrädern auf dem Lkw einer Spedition. Der Empfang vor dem Rathaus ist herzlich. Der Bürgermeister spricht sogar von den Helden von O.

Claus-Heinrichs Gattin Vera war weniger begeistert. - Bitte, sechs Wochen im Busch! - wehrte sie seine Umarmung unter Hinweis auf einen beizubringenden Nachweis über einen nicht bestehenden HIV-Verdacht ab. Bis dahin müsse er im Gästezimmer nächtigen.

Gerüchten zufolge, habe er dann während des Mittagsschlafes im Traum gesprochen, von der Gattin zufällig belauscht:

Bin zweitausend Kilometer auf meiner braven Enduro durch Buschland und über Steppen geritten, habe unterm Sternenhimmel neben Willy geschlafen, habe mich der Mosquitos erwehrt, mich aus Konservendosen ernährt, musste sieben Ranger und Dorfälteste bestechen, um ein bösartiges Nashorn in eine verlassene Missionsstation zu treiben. Wo soll ich mir dabei das HIV-Virus eingefangen haben?

Da hatte die Gattin Mitleid, umarmte ihren tapferen Claus-Heinrich und von nun an war sein Platz wieder im gemeinsamen Schlafzimmer.

◆

Die weiße Schlange

Ein fast vergessenes Märchen aus der Grimm'schen Sammlung, von Kinder-TV wieder aufzunehmen und in Text und Bildfolge so zu gestalten, dass etwaige Verlagsrechte dank gründlicher Überarbeitung des Originaltextes nicht berührt sind. Das Produkt sollte daher eine eigenständige Erzählstruktur entwickeln, werthaft besetzte Positionen nicht scheuen, im Geist kritischer Neutralität zur Nachdenklichkeit bewegen und nicht auf bloße Bildwirkung reduziert sein.

Soweit die Auftragsbeschreibung der Abteilung „Märchen-TV".

Erstes Arbeitsgespräch der mit der Aufgabe betrauten Redakteure

Oliver: Richard, hast du gelesen?

Richard: Nein, noch nicht.

Der greift in eine Schale mit Erdnüssen. Oliver seufzt.

Oliver: Nun ja, fangen wir trotzdem an. Es geht - wie so oft - um das Aufeinandertreffen von Oben und Unten in der Gesellschaftshierarchie, um fordernde Eigenliebe einerseits und schmachtende andererseits, um etablierte Herrschsucht und Gerechtigkeit per Zufall, von Zauber getragen, und führt schließlich zum Happy End. Auch wie meistens.

Richard knackt Erdnüsse.

Richard: Klingt nach bekanntem Grundmuster! Dann muss es die Handlung aber bringen!

Oliver: Richtig, und das liegt an uns! . . . Sag mal, musst du dich jetzt unbedingt mit Erdnüssen vollstopfen?

Richard *(mit vollem Mund):* Hatte kein Frühstück. Also, erzähl schon. Aber mach's kurz, ich werde ja noch lesen.

Oliver: Ich will's versuchen, wenn du aufnahmebereit bist.

Richard nickt.

Oliver: König ist dafür bekannt, dass er alles weiß, was im Land geschieht, wird daher für weise gehalten. Isst täglich als Letzter ohne Zeugen aus einer Schüssel, die danach wieder verdeckt abgetragen wird. Das reizt die Neugierde seines augenblicklichen Lieblingsdieners - ein junger Mann in noch nicht gefestigter Position am Hof. Der deckt die Schüssel an diskretem Ort auf, sieht darin eine weiße Schlange und . . . isst ein Stück von ihr.

Richard: Igitt!

Oliver grinst.

Oliver: Selbstüberwindung ist in Märchen eine bevorzugte Tugend. Sollte dir nicht unbekannt sein. – Dann weiter, denn Lohn oder Strafe folgen gewöhnlich unmittelbar: Plötzlich versteht er die Sprache der Tiere.

Richard: Aha, daher der stets aktuelle Informationsstand des Landesvaters!

Oliver *(nüchtern-grimmig):* Verdeckter Quellenzugang, absolut getarnte Informanten, zuverlässige Schüsselträger – übliches Rezept des Machterhalts. War damals schon so . . .

Richard: . . . und vor diesem Damals bei jedem anderen Damals.

Oliver: Genau! Und irgendwann zufällig publik geworden, von Gerüchten umwabert. Allerdings sind Methoden und Mittel raffinierter geworden. Technik ersetzt Zauber, Geheimdienste die Schüsselträger. Investigativer Journalismus schafft Öffentlichkeit und Regierungen versprechen Sicherheit, Parteien Aufklärung. Das ist der Unterschied.

Richard *(nachdenklich):* Also ist die weiße Schlange im Märchen eine Metapher, die heute noch gilt?

Oliver: Ja, aber wer beachtet das heute schon beim Vorlesen? In historischer Zeit war die Schlange als Symbolträgerin weitaus bekannter. Damals hat man sich Geschichten von Schlangen erzählt, die geheimnisvolle Fähigkeiten besaßen. Denk an die Schlange am Äskulapstab. Man sollte sie also nicht auf ihre biblische Rolle als Verführerin reduzieren.

Richard tut verwundert, beugt sich vor.

Richard: Oli, du meinst die Schlange, die sich auf dem roten Apotheken-A um den Kelch windet? - *lehnt sich zurück* - Ich habe mich gelegentlich gefragt, was die Apotheke mit einer Schlange zu tun hat und dachte eher an List und Gift als an Heilkunde.

Oliver *(trumpft auf):* Oha, das ist böse! Und du bist ein Beispiel für die Gleichgültigkeit gegenüber überkommenen Symbolen. Immerhin hast du dir Gedanken gemacht. Wie häufig unter naturentwöhnten Menschen, werden dem Tier miese Eigenschaften unterlegt und damit Ängste geweckt . . .

Richard *(unterbricht):* Allgemein besetzen Schlangen nun einmal Ängste! Sie sind giftig und verkriechen sich, überraschen dich im Unterholz oder zwischen Steinen an sonnigen Hängen, wo sie sich aufwärmen . . .

Oliver: Ich weiß, ich weiß! . . . Gleiten lautlos über Geäst, schwimmen und häuten sich. Flüchten aber in der Regel, bevor du sie gewahr wirst. Wer gebissen wird, ist wahrscheinlich im Gelände zu sorglos unterwegs gewesen – jedenfalls in unseren Breiten. Wobei festzuhalten bleibt, dass nicht alle Schlangenarten giftig sind, die Aeskulapnatter übrigens auch nicht.

Richard: Richtig! Und weil ich giftige nicht von ungiftigen unterscheiden kann, gehe ich beim Wandern über unwegsames und abseitiges Gelände nie ohne Stock. In Vorarlberg bin ich beinahe auf eine Kreuzotter getreten.

Oliver: Also hast du sie doch erkannt!

Richard: Hm, im letzten Moment hat mich ein Kumpel festgehalten, mit dem ich unterwegs war. Das Viech ist sofort zwischen Steinen verschwunden. *Kratzt sich nachdenklich am Kopf.* Im Fall unseres Märchens bin ich bereit, meine Abneigung zu unterdrücken. Für die Harmlosigkeit der Märchenschlange spricht schließlich, dass sie essbar ist und auch noch in der Schüssel nachwächst. - *Er lacht trocken.* - Anders ist ja der Dauergenuss durch den König nicht zu erklären.

Oliver: Eines unserer Probleme! Du darfst natürlich vor der Kamera nicht von einem lebenden Tier ein Stück abschneiden lassen, auch wenn es sich um eine gut gemachte Attrappe handelt.

Richard zieht die Schale mit den Erdnüssen näher zu sich, stößt sie dann doch zurück.

Richard: Keine Sorge, Oli! Ich habe schon eine Idee. Die weiße Schlange, die erklären wir als arabische Süßspeise gleichen Namens!

Für einen orientalischen Herrscher nach geheimem Rezept zubereitet, das später den Engländern in die Hände gefallen ist und auf dem Dachboden eines Schlosses in Schottland landete, dort von einem Bediensteten entdeckt und publiziert wurde, und nun als süße Verlockung in feinen Restaurants serviert wird.

Oliver: Nette Umweg-Story, Richard, aber für unsere Kindersendung nicht märchenhaft genug. Verschieben wir's auf später! Hör erst mal zu, wie es weitergeht: Königin vermisst ihren schönsten Ring. Leibdiener, besagter junge Mann, gerät unter Verdacht und hat bis zum nächsten Tag den Schuldigen zu nennen. Wenn nicht, droht ihm ein hochnotpeinliches Verfahren.

Richard: Der Schuldige kann ja nur er sein, bei dem engen Verhältnis zur Familie des Herrschers!

Oliver: Ein voreiliger Schluss, Richard!

Richard spaltet ein Streichholz mit dem Daumennagel, stochert in den Zähnen.

Richard: Zu der Zeit bedeutete das Folter und schließlich den Galgen, Oli.

Oliver: Eben!

Er erhebt sich, geht einige Schritte auf und ab und spricht dabei deklamatorisch.

Ha, an eine Flucht ist nicht zu denken, Richard. Eine gut bewachte Schlossanlage! – *(leiser)* - Daher irrt der Diener verängstigt durch den Schlossgarten . . . ist ratlos. *(jetzt nüchtern)* - Am Ufer des Schlossteiches sitzen Enten, unterhalten sich über ergiebige Futterstellen. Diener versteht sie ja jetzt! Eine hat Magenschmerzen, kennt auch die Ursache - aus Gier Ring verschluckt. Er schnappt sie und lässt sie schlachten. Unschuld ist bewiesen und der König, dem seine harsche Reaktion peinlich ist, verspricht, dem Diener jeden Wunsch zuerfüllen.

Richard beendet die Reinigung der Zahnzwischenräume und wirft das Streichholz in den Papierkorb.

Richard: Offenbar hat der König in diesem Fall nicht seiner geheimen Fähigkeit vertraut, Oli.

Der winkt ab.

Oliver: Ah geh, ohne Zufall keine überraschende Wendung in Märchen! – *(überzeugend)* - Die ist doch Bestandteil des Märchenhaften, Richard!

Der streckt sich, sieht auf die Uhr.

Richard: Mittagspause, Oliver!

Oliver will zur Kantine, Sabine von der Nachrichten-Redaktion wartet. Richard verträgt das Kantinenessen nicht, geht an seinen Arbeitsplatz, packt Joghurtbecher und Vesperdose aus, besorgt sich am Automaten im Flur einen Becher Kaffee und öffnet im Internet das Märchen.

Gesättigt, im Kopfe wohl gerüstet, den schläfrigen Körper vom aromatischen Getränk aus der wundersamen Maschine gestärkt, macht er sich auf den Weg zum Besprechungsraum.

Nun fließen ihm die Worte nur so aus dem Mund. Oliver kaut am Bleistift.

Von einer Bitte des ehrenhaften Dieners an den König um Pferd und Reisegeld weiß er nun zu berichten, von dessen seltsamen Begegnungen auf langem Weg bis zu einer Stadt am Meer.

Drei Fische, im Röhricht verfangen, befürchten ihren Tod. Das Wasser ziehe sich zurück und keine Hilfe erwarte sie. Der junge Mann vernimmt den Jammer, fängt sie ein und trägt sie in das offene

Wasser.

Wieder zu Pferd, dringt ein feines Stimmchen an sein Ohr. Aus dem Sand der Straße kommt es, die keine Pflasterdecke trägt. Er beugt sich aus dem Sattel und wird Zeuge, wie ein Ameisenkönig die unbedachten Menschen beklagt, die mit ihren Tieren daherkommen und keine Acht darauf haben, wie deren schwere Hufe seine Leute unbarmherzig niedertreten. Voller Mitgefühl lenkt er sein Ross auf einen Nebenweg, und vermeidet, die Straße der Ameisen zu kreuzen. Der Ameisenkönig und seine Leute wollen's ihm vergelten, vernimmt er.

Der Abend naht, der Weg führt ihn in den Wald. Da bemerkt er einen Rabenvater und eine Rabenmutter, die ihre Jungen aus dem Nest werfen. *Fort mit euch, ihr Galgenschwengel!* rufen sie. *Wir vermögen euch nicht mehr satt zu machen. Ihr seid groß genug und könnt euch selbst ernähren.* Die armen Jungen flattern zu Boden, wo sie mit ihren Flügeln schlagen und erbarmungsvoll krächzen: *Wir hilflosen Kinder, wir sollen uns selbst ernähren und können noch nicht fliegen! Was bleibt uns übrig, als hier Hungers zu sterben!*

Das rührt den Jüngling. Er steigt vom Pferd, tötet es mit dem Degen und überlässt den Kadaver den jungen Raben zur Nahrung. Die hüpfen herbei, sättigen sich und rufen: *Wir wollen dir gedenken und dir's vergelten.*

Oliver: Halt ein, Richard! Bis zu dieser Stelle ist's ein Märchen, das mit Wundersamem nicht spart, das großmütige Abschlachten des Gauls inbegriffen. Der Kerl hat ja sonst ein Herz für Tiere und versteht ihre Sprache. Pferde labern wahrscheinlich im Trott nicht vor sich hin, fluchen eher. Doch nun wird die Geschichte brisant, und nun werde ich erzählen:

Um eines Weibes willen stürzt sich der Jüngling in ein Abenteuer und unterwirft sich brutalen Regeln, die offenbar Dutzende junger Männer das Leben gekostet haben. Wie du inzwischen weißt, handelt es sich um eine Königstochter.

Richard: Steckt da nicht die eigentliche Grimm'sche Botschaft dahinter, Oli? Ich erinnere mich gelesen zu haben, die Brüder Jacob und Wilhelm Grimm seien Realisten gewesen. Die Wurzeln zeitgenössischer Misslichkeiten sollen sie angeblich im Gottesgnadentum der Herrscher gesehen haben. Anlass bestand also, Zeilen der Kritik über Throne zu pusten.

Oliver *(erregt):* Nein, nein, Richard! Du vermutest zu viel. Der Schluss ist versöhnlich und kein im Märchen verborgener Bruch mit den Herrschenden jener Zeit. Es kommt ganz anders: Der grausamen Königstochter verschafft am Ende der Verzehr eines Apfels vom Baum des Lebens die Wahrnehmung der Liebe. Oben und Unten finden zueinander. Das Volk darf sich freuen. Adam und Eva ist bei gleicher Tätigkeit ihre nackte Wirklichkeit bewusst geworden.

Richard: Stammte deren Apfel nicht von einem anderen Baum, Oli?

Oliver *(gleichmütig):* Mag sein, mag sein! Aber bleiben wir beim Grimm'schen Märchen! Was ging darin dem süßen Ende voraus? Für die ach so liebreizende Königstochter wird öffentlich ein Freier gesucht. Und da dieser für das Herrscherhaus einmal Nachkommen zu zeugen hat, genetisch mit Wagemut, Entschlossenheit und körperlicher Kraft ausgestattet, lässt der König nach dem geeigneten Schwiegersohn suchen.

Richard *(lapidar)*: Biologischer Vorteil statt dynastischer Regel, ein krasser Zuchtgedanke! – *(nachdenklich)* - erinnert mich irgendwie an die braune Vergangenheit!

Oliver nickt und seufzt.

Eine Möglichkeit, Oli . . .

Oliver *(erregt):* Lass die Hände weg und bilde dir nicht ein, wir könnten Beziehungen zur jüngeren Geschichte oder gar Gegenwart herstellen! – *(wieder ruhiger)* - Märchen haben keine konkrete Beziehung zu Vergangenem, sonst wären sie keine Märchen. Es liegt beim Publikum, sie zu deuten. Eine ganz persönliche Angelegenheit! – *(sachlich, dienstlich im Ton)* - Unsere Aufgabe besteht darin, mit den Mitteln des Films die Nachdenklichkeit zu unterstützen. Und da spielt die Regie mit, nicht nur die Textvorlage . . .

Gehen wir jetzt mal im Märchen weiter: Scheiterte der Bewerber an der Ausführung der ihm gestellten Aufgabe, hatte er sein Leben verwirkt. *Viele hatten es schon versucht, aber vergeblich ihr Leben darangesetzt,* lesen wir. Und was erwartete nun den angereisten Dummkopf, der doch ausgezogen ist, die Welt zu sehen und zu verstehen? *(heiter)*

Beim Anblick ihres Bildes hat er sich prompt in die Königstochter verliebt und meldet sich bei Hof als Freier. Sogleich hat man eine Aufgabe für ihn parat: Er soll nach einem ins Meer geworfenen Goldring tauchen. Die Chance ist äußerst gering, ihn am sandigen Grund zu finden und dann auch noch an Land zu bringen.

Richard zeichnet mit dem Bleistift Kringel auf ein Notizblatt.

Richard *(hintersinnig):* Zum zweiten Mal ein Ring im Spiel! Den ersten zu finden hat ihm ja Glück gebracht.

Oliver *(ironisch trocken)*: Chance für einen dahergekommenen Provinztrottel? Mach dir keine Sorgen um ihn! Die lieben Fischlein sind zur Stelle, genau die, denen der junge Mann das Leben gerettet hat.

Sie bringen eine Muschel vom Grund, in der das *gülden Ringlein* steckt.

Energisch tippt Richard mit der Bleistiftspitze in einen der Kringel.

Richard: Die Muschel, ein Symbol weiblicher Sexualität und Fruchtbarkeit, birgt den Ring! Das wäre doch beim Öffnen der Muschel von einer Erzählerstimme anzumerken, Oli!

Mitfühlend sieht ihn Oliver an.

Oliver: Mag sein, aber unserem Jüngling bringt diese Symbolik nichts, denn nun werden Stolz und Grausamkeit der Königstochter fassbar . . .

Richard unterbricht, um wenigstens seine Textkenntnisse nachzuweisen.

Richard: . . . die des Vaters Regel nicht hinnehmen will, - *(höhnisch)* - weil sie vermutlich selbst einen im Hintergrund hat, der aber aus politischen Gründen am Hof nicht erwünscht ist.

Oliver: Nicht auszuschließen, doch hör zu! *Als sie vernahm, dass er ihr nicht ebenbürtig war, verschmähte sie ihn und verlangte, er solle zuvor eine zweite Aufgabe lösen,* so der Text. Es folgt die sichere Chance, den Burschen loszuwerden. Sie verstreut im Schlossgarten eigenhändig zehn Sack Hirsekörner und fordert ungerührt, dass sie bis Tagesanbruch vollständig aufgelesen sein müssten.

Richard: Ich weiß, ich weiß! Erneut geschieht das Wundersame. Der Ameisenkönig und sein Volk revanchieren sich und erledigen für ihn die Sache, wahrscheinlich so penibel, dass selbst feingewichtiges Nachwiegen keine Abweichung zeigt, weil . . .

Jetzt unterbricht Oliver

Oliver: Feingewichtig! Doch auch diese Leistung findet in den Augen der Königstochter keine Anerkennung. Sie zieht die Trumpfkarte! Hier der Text: *Hat er auch die beiden Aufgaben gelöst, so soll er doch nicht eher mein Gemahl werden, bis er mir einen Apfel vom Baum des Lebens gebracht hat.*

Oliver holt eine Zigarettenschachtel aus der Jackentasche und spielt damit.

Richard *(bestimmt):* Und die Aufgabe scheint nun wirklich unlösbar zu sein. Übrigens, *der Baum des Lebens*, wo ist der eigentlich in natura zu finden? Nach dem Alten Testament stehen meines Wissens sowohl ein Baum der Erkenntnis als auch der des Lebens im Zentrum des Gartens Eden, somit im Paradies und jenseits der realen Welt. Für Muslime ist der Tuba-Baum dafür ein Symbol, das oft in ihren Knüpfteppichen zu finden ist. Ihn an dieser Stelle groß ins Bild zu bringen, wäre doch eine wirksame Illustration?

Von Richards Vorschlägen hat Oliver allmählich genug. Er entnimmt der Schachtel eine Zigarette, kramt nach dem Feuerzeug in der Hosentasche und zündet sie an, bläst den Rauch gegen die Decke.

Oliver *(gelangweilt):* Nun ja, schon wieder ein zu deutendes Symbol! In einer Kindersendung, Richard! Besser, wir gehen von unserer christlichen Kultur aus, und in der ist das Kreuz Jesu der Baum des Lebens und seine Frucht für Katholiken die Heilige Eucharistie. Ich schließe aus, dass die eigensüchtige Königstochter an diese Deutung des Lebensbaumes gedacht hat. Andernfalls wäre ihre Forderung einlösbar und als versöhnliche Geste zu verstehen . . .

Richard: . . . und dem armen Kerl bliebe weitere Pein erspart!

Oliver: Wie gesagt, moralische Bedenken scheint die Königstochter nicht zu haben. Woher also plötzlich ihr Sinneswandel?

Richard: Langsam Oli, langsam zum Mitdenken für einen Protestanten! Der kennt den Gnadenerwerb eher durch Frömmigkeit und sittsame Lebensführung, nicht durch ein Sakrament. Liegt hier eventuell der Versuch der Märchen-Autoren vor, eine mit Schuld beladene Adlige durch Genuss des Apfels vom Baum des Lebens reinzuwaschen?

Oliver *(nun doch ungehalten):* Sind für dich nun plötzlich die Brüder Grimm Steigbügelhalter der Aristokratie über die Parallele *Apfel vom Lebensbaum - Hostie vom Priester*? Lass das Interpretieren, rate ich dir!

Richard *(nachfassend):* Wäre das nicht geradezu ein Beispiel für die Verständnisbreite ihrer Märchen? In der Gestaltung hätten wir als Erzähler ziemlich freies Spiel: sukzessive Darstellung perfiden Machtgebrauchs, Einfluss des Mystischen, Vergebung der Schuld . .

Oliver *(süffisant und noch immer erregt):* . . . und dann die helle Linie der Aufklärung, Aufhebung des Klassenunterschiedes durch Vereinigung der beiden? Ganz bestimmt nicht, Richard! – *(wieder sachlich)* - Der Kerl war leider wenig gebildet, so dass ihm ein solch theologisch motiviertes Verständnis der dritten Aufgabe gar nicht erst in den Sinn kam.

Doch den unschuldig Naiven verfolgt im Märchen das Glück! Zunächst irrt er durch das Land. Die Uhr läuft, und mit jedem Tag schwindet seine Hoffnung . . . Stell dir die Tragik vor, mit einfühlsamer Kameraführung eingefangen. – *(Er richtet sich auf.)* - Damit würde ich auch beginnen! Am Anfang macht sich Hoffnungslosigkeit immer gut. Die kleinen Zuschauer von Märchen TV ahnen, dass noch dreißig Minuten folgen, in denen sich die traurige Situation auflösen wird.

Richard: Inwiefern auflösen?

Oliver: Das ist eben die Frage, auf die sich in meinem Schädel noch keine Antwort formt. Im Märchen sitzt der Bursche bei Einbruch der Nacht unter einem Baum und erwartet den Schlaf. Da fällt ein goldener Apfel aus dem Geäst, ihm direkt vor die Füße. Drei Raben hüpfen auf ihn zu, jene Vögel, denen er mit seinem erstochenen Pferd zum Überleben verholfen hat. Sie berichten, über das weite Meer bis zum Ende der Welt geflogen zu sein, um den Baum des Lebens zu finden. Und nun könnten sie ihm ihre Dankbarkeit erweisen.

Richard *(schlägt mit der Hand auf den Tisch)*: Oli, was hältst du von der Idee, das ganze Märchen als Traum darzustellen? Ein Traum, in dem die Erde eine Scheibe ist, umgeben vom Meer und überwölbt vom Firmament, zwischen beiden der Garten Eden . . .

Oliver *(nachdenklich)*: . . . der trotz aller einzuschiebenden Reality-Szenen ein Traum bleibt. Gute Idee! – *(Fast euphorisch)* - Ein Traum von der Kraft des Lebens, von der Liebe bewegt. – *(wieder nüchtern, sachlich)* - Soweit vermag ich den Brüdern Grimm zu folgen. Und nun lass uns an die Arbeit gehen, Richard. Wir brauchen zunächst eine grobe Verlaufsskizze, möglichst schon in Szenen.

Die Wirklichkeitssequenz besteht einzig im Job des Jünglings als Diener, in seiner Beschuldigung und seinem ratlosen Umherirren im Schlossgarten. Was dann geschieht träumt er, bis man ihn sucht, weil der Koch im Magen der Ente den Ring gefunden hat. – *(sarkastisch)* - Die Ente stand auf dem Speiseplan!

Richard: Überzeugend, auch wenn nicht auf Grimm'schen Mist gewachsen: Die Geschichte kehrt zum Anfang zurück. Jetzt weiß der junge Mann, was er zu tun hat, erhält ein Pferd und Reisegeld und entschwindet der intrigenreichen Enge eines Fürstenhofes.

Er gelangt in eine Stadt, in der Bürger einen Freiheitsbaum errichtet haben. Man reicht ihm eine Jakobinermütze und nimmt ihn auf. Statt der Zuneigung einer eitlen und hinterhältigen Königstochter gewinnt er die einer bürgerlichen Schönen. Und wenn sie ihm treu geblieben ist, haben sie Nachkommen, denen das Verlangen nach Freiheit, Gleichheit, Brüderlichkeit in die Wiege gelegt worden ist.

Oliver: Du bleibst beharrlich dabei, sozialutopische Vorstellungen über Märchen transportieren zu wollen. Auf der Etage über uns mag man das aber nicht. Dort überzeugt das Unterhaltende ohne ideologischen Kern. Denk daran: Die Einschaltquote zählt! . . . Ich fasse jetzt zusammen und du notierst. Einverstanden?

Richard *(seufzend):* Okay Oli, Du bist der Chef! …Aber sag mal, wie nennen wir das Ganze denn überhaupt? *Die weiße Schlange* klingt zu lahm und passt irgendwie nicht,- sie ist zwar die Auslöserin der Story, spielt aber im Weiteren keine Rolle mehr. Obwohl . . . *(grinst)* sie uns gewissermaßen in gedanklichen Schlangenlinien durch das Märchen geführt hat.

Oliver: *(lacht)* Das kann man wohl sagen! Schreib einfach mal *Projekt Schlange TV*. Ein schmissiger Titel wird uns irgendwann einfallen!

◆

Interview des Wusthauser Tageblatts mit Professor J. Kiebig

Sprecher der Initiative *Märchen ja, Grausamkeiten nein! E.V.*

WTb: *Ihre Feststellung in den Bergewaldener Neuesten Nachrichten, Herr Professor Kiebig, hat auch außerhalb der Region des Kreisstädtchens an der Immel offenbar viele Eltern und Märchen erzählende Großeltern berührt und sie zu kritischen Leserbriefen angeregt. Man sieht ein Kulturgut in Gefahr, glaubt die Grenze des Erträglichen überschritten. Ich zitiere aus Ihrem Beitrag: Märchen sollen gefallen, aber nicht verunsichern, indem sie Ängste beschwören und Straftaten verherrlichen. Gehen Sie damit nicht ein bisschen zu weit?*

Prof. Kiebig: Ist es bezüglich *des Erträglichen* nicht eher umgekehrt? Nun stellen Sie sich einmal vor, was sich in der Fantasie von zwei Kindern abspielt, beispielsweise bei einem dreijährigen Mädchen und einem fünfjährigen Knaben, wenn sie vor dem Einschlafen erfahren, dass Eltern in einem gewissen Märchen, das ich als Beispiel angeführt habe, ihre Kinder gleichen Alters im Wald aussetzten. Die Kleinen werden umgehend stellvertretend mit ihren Altersgenossen leiden und jede weitere Zeile dieses Märchens mit Furcht erwarten. Und das Absurde ist doch, man liest ihnen eine solche Geschichte vor, um sie in den Schlaf zu begleiten! . . . Also, mir fehlen die Worte!

WTb: *Das taten sie im angeführten Beitrag nicht! Sie bezweifeln nicht nur den Handlungsrahmen – kein Brot mehr für den nächsten Tag, ein tiefer und unwegsamer Forst, die Verzweiflung der Eltern und deren Hoffnung auf den Zufall einer Rettung -, sondern auch die Tapferkeit der Kleinen. Den beiden Märchen-Autoren unterstellen Sie die Häme, wenn sie auf das mittelalterliche Bild der Hexe zurückgreifen. Schließlich bemühen Sie das Gesetz* (Strafgesetzbuch, Anm. der Redaktion), *das zwei strafun-*

mündige Kinder gewiss nicht kennen konnten und bezeichnen ein abertausend Märchenlesern als Notwehrreaktion verständliches Verhalten als vorsätzliche Tötung. Ist das in Bezug auf ein mindestens zweihundert Jahre altes Märchen nicht eine übertriebene Reaktion?

Prof. Kiebig. Ach, wie sachlich Sie im Sinne einer unkritischen Leserschaft fragen! Wo bleibt da das mitfühlende Denken einer Journalistin mit kleinen, aufnahmebereiten Kindern, die man gedankenlos mit einer Geschichte konfrontiert, die – abgesehen von ihrer Tristesse und Grausamkeit – sich auch noch zusätzlich einer völlig unglaubwürdigen Ausstattung bedient . . .

WTb: *Sie sprechen das Lebkuchenhaus an?*

Prof. Kiebig: Genau dieses! Wann hat es denn je ein solches gegeben, außer als Nachbildung auf Weihnachtsmärkten unserer satten Zeit? Hier wird kindliche Phantasie missbraucht, . . . von ansonsten auf ihre Glaubwürdigkeit beharrenden, ja pochenden, Erwachsenen. Und mal eben nebenbei, falls Sie selbst Kinder im entsprechenden Alter haben, können Sie sich bestimmt vorstellen, dass sie nach der Haltbarkeit eines Lebkuchenhauses in Wind und Wetter fragen. Was antworten sie ihnen dann? Etwa, dass es sich nur um Lebkuchen-Kacheln, also Dekoration handelt? (Prof. Kiebig lacht süffisant). Mit dieser Auskunft würden Sie wenigstens dem Zeitgeist des Märchens einigermaßen gerecht.

WTb: *Offen gesagt, darauf bin ich noch nicht gekommen, weil meiner Erfahrung nach Kinder im Vorschulalter, mitgenommen vom Erzählfluss der Geschichte, in dieser Situation nicht derart spitzfindig fragen.*

Prof. Kiebig: Na aber! Wenn das schlichte Beispiel des Lebkuchenhauses von Erwachsenen bereits unhinterfragt hingenommen wird, dann wird man auch bis hin zur Grausamkeit alles weitere ignorieren und die kindliche Phantasie entsprechend anregen. Hexen-Kostümierung und die als Zauberer deuten meines Erachtens in die Richtung kindlicher Wunschwelten, ob beim Rollenspiel in der Schule oder an Fastnacht auf der Gasse und nicht zuletzt im neumodischen Halloween-Spektakel. Es ist doch so: Der Reiz des Machthabens überlagert Schmetterlinge und sonstige harmlose Phantasie-Figuren! Dagegen demonstriert die Hexen- und Zauberer-Kostümierung, was ein Kind gerne können würde. Da ist die Pippi-Langstrumpf-Welle geradezu harmlos-komisch gewesen.

WTb: *Sehen Sie da ein so bekanntes Märchen nicht zu kritisch in Bezug auf seine Wirkung? M ä r c h e n, das Wort verweist doch darauf, dass nicht wörtlich zu nehmen ist, was uns berichtet wird. Das ahnen Kinder, die im Märchen das Wunder des guten Endes vermuten und deshalb alle die Verfehlungen, derer es sich bedient, selbst als Teil eines wundersamen Verlaufs begreifen. Besteht darin nicht geradezu seine Unschuld? . . . Diese Hexe war – nein, ist für die in die Handlung eingebundenen Kinder – böse, abgrundtief böse und findet ein vernichtendes Ende. Der Ofen, ihr Ofen, in den sie gestoßen wird, bleibt auch für Kinder – wenngleich unbewusst – eine Metapher.*

Prof.Kiebig: So kann man eine schreckliche Tat veredeln! Hat man es als Erwachsener denn nötig, auf moralisch verzerrte und wirklichkeitsferne Schilderungen aus undefinierten alten Zeiten zurückzugreifen? „Es war einmal . . ." ist ein Anspruch auf Glaubwürdigkeit, eingenistet in Kinderköpfen. Um uns in dieser Welt geschieht so viel Schreckliches, und das flimmert auch noch über die Bildschirme. Ich frage mich, ob nicht auch angenommen werden darf, dass Kinder solcherlei Grausamkeiten nach und nach für selbstverständlich halten, wenn sie ihnen im Erzählen bereits begegnet sind? . . .

Aber lassen wir das jetzt! Wir könnten uns leicht in der Psychologie kindlichen Erlebens verlieren. Meine Funktion ist die des Historikers als Vorsitzender einer Initiativgruppe, die sich für kindgerechtes Erzählen einsetzt. Wir bestreiten nicht, dass Kindern Bilder wundersamen Weltverständnisses helfen können, unterscheiden zu lernen zwischen dem, was wünschenswert wäre und dem, was ihnen in seiner Härte tatsächlich täglich begegnet.

Um beim erwähnten Märchen zu bleiben: Weshalb erzählen wir ihnen nicht von zwei Kindern, die mit ihren Eltern dem Krieg in ihrer Heimat entronnen sind und nun mit Erwartungen in einer fremden Umgebung ankommen?

Da darf durchaus von Verfolgung und Not die Rede sein, aber auch vom Staunen angesichts von Überfluss, von ihnen bisher fremden Rechten und Gerechtigkeit und den kleinen Wundern, die ihnen das Ankommen und nun Dasein nach und nach erträglich machen . . . auch erschweren, da sie ja aus einem anderen Kulturkreis kommen und immer wieder als Fremde begriffen werden. – Übrigens, auf beiden Seiten das Andersartige, sowohl bei Angekommenen, als auch bei hier Lebenden. – Das könnte doch auch spannend erzählt werden, meine ich. Wäre übrigens auch sinnvoll, um Kinder mit der ihnen gegebenen Ausstattung an Phantasie dabei zu unterstützen, Gut und Böse im alltäglichen Geschehen unterscheiden zu lernen und nicht in einer Parallelwelt.

WTb: *Eine einfache Frage: Weshalb schreiben Sie diese Geschichten nicht selbst, statt die traditionellen Märchen an den Pranger zu stellen? Was Ihrer lobenswerten Absicht, Kindern nicht „mit Abziehbildern unhistorischer Wundersamkeit“ zu kommen, wie Sie in Ihrem Beitrag anmerken, doch nur dienlich sein könnte.*

Prof. Kiebig: Da haben Sie recht, das wäre logisch. Aber einerseits ist, wie Sie wohl aus eigener Erfahrung wissen, der Geist willig (Er lacht ein bisschen verlegen und schenkt Kaffee nach) . . . zudem sollte ich bei meinen Leisten bleiben, wie man so schön sagt. Erzählen gehört nicht dazu. Auch gibt es mittlerweile einige Autoren, die das im Sinne unserer Initiativgruppe bereits wunderbar tun.

Meine Sache ist eher, wie Sie gemerkt haben, nicht müde zu werden, mich für die Bedeutung und Akzeptanz *wirklich* kindgerechten, zeitgemäßen Erzählens einzusetzen.

WTb: *Ich danke Ihnen für das Gespräch, Herr Kiebig!*

◆

Von der Entstehung der Wüste Taklamakan

Ein eigenes Märchen

Ein kalter trockener Winterabend, der Himmel ist sternenklar. Vor dem Fenster des Wintergartens steht Opa Klaus. Nur mäßig dringt der Schein der Stehlampe aus dem Wohnzimmer in den Vorraum. Sein Blick wandert vom Polarstern im Sternbild Kleiner Bär zum Sternbild Orion im Südwesten. Die drei Gürtelsterne sind bereits deutlich zu sehen.

Emilia und Sebastian sind im letzten Licht zu ihm getreten. Im Schweigen streifen die Augen des Großvaters und der Enkel über den Nachthimmel. Die Kleine, in Gedanken bei dem armen Mädchen aus dem Märchen, sieht Sterntaler in das aufgehaltene Hemd purzeln. Der Junge durcheilt mit Astronauten den Orbit.

Nach Minuten unterbricht Emilia die Stille. „Da, seht mal, ein Stern bewegt sich!“ Die Siebenjährige deutet auf einen wandernden Lichtpunkt. „Hab den schon vor dir entdeckt!“, folgt prompt vom älteren Bruder. „Ist ein Satellit.“ Emilia besteht darauf, dass dieser Lichtpunkt ein Stern sei. Die Kinder beginnen sich zu hänseln, die Stimmung schlägt um. Das wird nicht lange gut gehen und handfester Streit bräche aus. Was ist zu tun?

Opa Klaus schaut weiter über den Sternenhimmel und setzt vorsichtig an: „Kennt ihr die Geschichte von der Entstehung der Wüste Taklamakan?“

Natürlich nicht! „Au ja, erzähl, Opa!“ reagiert Emilia sofort.

„Kommen darin Sterne vor?“, erkundigt sich Sebastian misstrauisch. Er vermutet Wundersames mit Blick auf die kleine Schwester: „Opa, die dürfen aber nicht als Goldstücke armen Leuten vor die

Füße fallen."

„Ganz im Gegenteil!" versichert der. „Die Sache endet in einem galaktischen Abenteuer."

*

Die drei ziehen sich auf das Sofa im warmen Wohnzimmer zurück. Opa wird sie nicht gleich ins Bett schicken. Seine Geschichten fallen gewöhnlich länger aus. Mama und Papa sind im Kino und wollen anschließend noch in ein Restaurant – es ist ihr Hochzeitstag.

Opa Klaus beginnt zu erzählen – umständlich für Kinder – und zunächst mit einer Nebensache. Darin Zeitbilder, die ihnen höchstwahrscheinlich nichts sagen, aber doch das Wundersame der Märchensprache erkennen lassen:

Von der Seidenstraße stammt meine Geschichte. Sie berichtet, wie die Wüste Taklamakan entstanden ist. Ein entfernter Onkel hat sie mir erzählt und ihm der Großvater, der vor Zeiten als kaiserlicher Gesandter das Osmanische Reich bereiste.

Taklamakan liegt im Zentrum Asiens – eine Sandwüste, im weiten Bogen umgeben von hohen Bergen, die Schnee und Eis bedecken. Für uns wäre die Reise dorthin beschwerlich. Doch seit vielen hundert Jahren finden Karawanen mit wertvoller Fracht ihre Route um die Wüste herum. Auf einem langen Weg ziehen sie Richtung Westen bis zum Schwarzen Meer. Dort finden ihre Waren in Handelshäusern Abnehmer. Seide aus China – von jeher in Europa sehr geschätzt – gab dem beschwerlichen Weg auf verzweigten Routen den Namen: die Seidenstraße. Von Karawanserei zu Karawanserei zogen die Handelsleute mit ihren Kamelen, erklommen auf steilen Wegen Pässe zwischen hohen Bergen, streiften trockene Steppe und überquerten Flüsse an seichten Stellen. Eine Reise voller Strapazen, die Monate dauerte. Heute ist das natürlich anders.

„Logisch!", fällt Sebastian ein. „Es gibt Geländewagen, und Flugzeuge, und die Waren aus China kommen in Containern auf Schiffen zu uns."

Opa berührt der Einwurf nicht. Er eilt, von Phantasie getrieben, zur nächsten Station seines soeben entstehenden Albums der Märchenbilder und fährt fort:

Unterschiedliche Völker leben noch immer zwischen China und der Türkei: asiatische und auch solche, die uns ähnlich sind. Jedes dieser Völker spricht eine andere Sprache, hat eine eigene Kultur, zumeist von der Lehre des Propheten Mohammed geprägt, dem Islam.

Die Karawanen hatten Abgaben zu leisten, nicht nur an Grenzen, auch Handgelder an Stammesälteste. So waren Plünderungen während der Rast eventuell zu vermeiden. Räuber lauerten ohnehin in unwirtlichem Gelände auf reiche Beute. Deshalb schlossen sich die Karawanen an bestimmten Streckenabschnitten zusammen. Gemeinsam war man sicherer.

Hatte man die Kamele versorgt, wurden in den Karawansereien an den Abenden Geschichten erzählt. Die Teekanne kreiste, man füllte die hingehaltenen Becher auf. Die Nächte sind kühl, mitunter sehr kalt. Heißer Tee tut dann gut.

Eine dieser Geschichten erzähle ich euch nun weiter. Vielleicht kommt die Stunde, in der ihr sie weitererzählt – euren Kindern und die wiederum ihren Kindern. So bleiben Märchen erhalten, auch wenn sie dabei mancherlei Änderungen erfahren.

Die Kinder schweigen in Erwartung der Fortsetzung.

Nach der Entstehung der Erde, so erzählt man, habe Gott, den sie dort anders nennen, die Welt durchstreift. Er segnete Mensch, Getier und Pflanzen, verteilte Sonnenschein, Wind, Regen, Eis und Schnee. In einem weiten

Talkessel habe er den Gletschern der umgebenden Berge geboten, ihr Schmelzwasser einem Fluss zuzuführen. Der Fluss querte daraufhin den Grund der weiten Talebene, ergoss sich an deren Ende in einen See.

Rechts seines Laufes verstand ein fleißiges Volk das Wasser zu nutzen, links säumten Sümpfe seine Ufer, dahinter begann die Steppe.

Die Felder bescherten den Bauern alljährlich gute Ernten. Von der Fruchtbarkeit des Landes angelockt, wanderten Menschen anderer Kulturen zu. Sie brachten ihre Kenntnisse und Fähigkeiten mit. Es entstanden Terrassen für den Reisanbau an den Hügeln und Kanäle zur Bewässerung. Schöpfwerke, von Ochsen angetrieben, beförderten das Wasser von Terrasse zu Terrasse. Die Ernteerträge nahmen zu.

Bald entstanden Städte, in denen Töpfer, Schmiede, Seidenraupenzüchter, Weber, Teppichknüpfer und viele andere Handwerker emsig ihrer Arbeit nachgingen. Es gab nun Ware zum Tausch, und mancher schöpfte daraus Reichtum.

An Festtagen vertrieb man sich die Zeit mit Musik, Tanz, Theater und sportlichen Spielen. Es war gut dort zu leben.

Blickten die Nomaden der Steppe über den Fluss, sahen sie, wie auf der anderen Seite der Handel zunahm, mit ihm der Wohlstand wuchs. Sie aber zogen mit ihren Herden über das karge Land. Fanden die Tiere Nahrung und Trinkwasser, schlugen die Familien große Zelte auf, die man Jurten nennt. Sie konnten nie lange bleiben. Ihr Überleben hing von der Wahl eines günstigen Platzes ab, und hatten ihre Herden, die aus kleinwüchsigen Rindern, Pferden, Ziegen und Schafen bestanden, das Gelände abgegrast, zogen sie weiter. Wie ihr euch denken könnt, war für diese Menschen im Winter das Leben besonders schwer.

Nennen wir sie die ‚Aber-jetzt-Menschen'.

Die wehrhaften und tapferen Männer sicherten Familie und Herden. Ihre

Waffen waren Steinschleudern, mit denen sie trefflich umzugehen verstanden, Speere und Lanzen mit Spitzen aus geschärften Steinen. Manche trugen die Felle erlegter Wölfe nicht nur zum Schutz vor der Kälte. Das Fell verwies auf Mut und Kampfbereitschaft seines Besitzers. Beide Eigenschaften hatten sie in Fehden nötig, die zwischen den Clans – das sind Familienverbände – immer wieder im Streit um günstige Weidegründe und Wasserquellen für Mensch und Tier ausbrachen.

Untersetzte Gestalten von kräftigem Körperwuchs sollen die ‚Aber-jetzt-Menschen' gewesen sein, wird berichtet. Fremden flößten sie mit ihren kriegerischen Gesängen und ihren braungebrannten Gesichtern Furcht ein. Sie ritten auf kleinen, sehnigen Pferden, tauchten rasch hier oder dort auf. Ein Grund, sich vor ihnen in Acht zu nehmen. Doch es gab den Fluss als Grenze, und in diesem vermuteten sie böse Geister, die sie auf den Grund zerrten. Selten überquerten sie ihn; es musste schon ein besonderer Anlass gegeben sein.

Die Leute auf der anderen Seite des Flusses – bezeichnen wir sie als die ‚Vielleicht-Menschen', weil sie täglich zwischen vielem wählen konnten – mieden das andere Ufer. Jedoch bot jede Flussseite seinen Bewohnern etwas, das auf der gegenüberliegenden fehlte: den Nomaden Geräte aus Metall, den Siedlern Wolle für Teppiche und Tierhäute für Leder. An ruhigen Furten wagten Händler aus dem Süden die Überfahrt in Booten. Das schien über lange Zeit gut zu gehen.

Doch Begehrlichkeit erzeugte hier wie dort den Drang, rasch und günstig zu bekommen, was man schätzte oder brauchte. Das führte zu Raubzügen und die zu Strafexpeditionen, mal drüben, mal hüben. Räuberische Gruppen bestanden aus Abenteurern beider Flussufer, der Friede war dahin. Die Menschen lebten in Angst.

Ihr werdet fragen: Weshalb hat man die Anführer nicht gefasst und vor ein Gericht gebracht? Schöne Theorie, Kinder – übrigens damals wie heute! Zu allen Zeiten gibt es Leute mit Einfluss, die angeblich Unzufriedenen helfen, heimlich aber die Schergenhaufen steuern und auf solche Weise persönliche Macht und ihren Wohlstand mehren.

Im Land der ‚Vielleicht-Menschen' durchschaute ein weiser Fürst die dunklen Absichten der Anführer. Es muss etwas geschehen, um weitere Konflikte zu verhindern, sagte er sich. So sandte er einen Vertrauten zum Khan der ‚Aber-jetzt-Menschen' über den Fluss und bot an, dessen Tochter mit seinem Sohn zu vermählen. So wäre das Land geeint und von beiden gleichberechtigt friedlich zu verwalten. Ein gemeinsam aufgestelltes Heer von Kriegern sollte dafür sorgen, dass aller Streit unterbunden und eindringende Feinde vertrieben wurden. Der Handel zwischen ihren Völkern nähme Aufschwung, und die Menschen fänden zusammen, ließ er mitteilen.

Der Khan überlegte lange, wie es Menschen eigen ist, die erfahren haben, wie launisch das Glück sein kann. Doch im Grunde stimmte er mit dem Fürsten überein.

Als sich die Nachricht von der bevorstehenden Hochzeit verbreitete, ging ein Aufatmen über die Uferregionen. Nicht aber jene waren zufrieden, die nach Ausweitung ihres Einflusses und ihrer Macht drängten. An abgelegenen Orten trafen sie sich mit Gruppen von Unzufriedenen, die keine Vorteile von der neuen Ordnung hatten und sannen darüber nach, wie der alte, für sie profitable Zustand wieder herbeizuführen sei.

Es fand sich ein listiger Mann, hinkend und hässlich, der ihren Plänen nützlich schien. Er behauptete, die Kunst des Zauberns zu verstehen. Bis dahin hatte er wenig Beachtung gefunden. Er lebte von kleinen Betrügereien, und man traute ihm nicht. Nun erklärte er sich gegenüber den

Anführern im Untergrund bereit, dem Fürstensohn auf die Reise in das Land der ,Aber-jetzt-Menschen' einen Trank mitzugeben, der nach kurzer Zeit zum Tode führen würde.

Befördert durch den Einfluss seiner Auftraggeber, fand er in der Küche des Palastes Arbeit. Er begann zu verbreiten, ein vom ihm hergestelltes Getränk könne dem helfen, der sich schwach fühle. Einige Tropfen zur rechten Zeit, und das Blut fließe im Körper rascher. Frische Kraft überkomme den Menschen und gebe ihm neuen Mut.

Er stieß auf großes Interesse, und die Nachricht vom Wundertrank sprach sich herum. Sie kam auch dem Sohn des Fürsten zu Ohren, einem kränkelnden und nicht mehr so jungen Mann. Der umgab sich mit allerlei seltsamen Beratern: Geisterbeschwörer und solche, die vorgaben, mit Handauflegen, seltenen Steinen oder dem Tanz zu Trommeln Schwäche oder Schmerz beseitigen zu können.

Der Hinkende erhielt seine Chance. So braute, filterte und mixte er einen Trank für den Fürstensohn, der ihn auf der Reise ins Land der ,Aber-jetzt-Menschen' angeblich stärken und für die Begegnung mit der ihm verheißenen Schönheit vorbereiten sollte, und brachte ihn persönlich zum Palast.

Am Tag der Abreise des Fürstensohns bestieg auch der Hinkende im Morgengrauen ein Boot und ließ sich flussabwärts treiben. Das Land Nirgendwo auf einer von Geheimnissen umgebenen Insel wollte er erreichen. Es war allgemeiner Glaube, dass dort die Geister Verstorbener letzte Heimat fänden und ein Dasein mit Tafelfreuden, Musik, Tanz und stets erwiderter Liebe führten, umgeben vom ewigen Frühling.

Der hinterhältige Mann, der nicht immer so war, hatte nämlich in jungen Jahren ein Mädchen verehrt, das von einem heimtückischen Fieber befallen, früh verstorben war. Ihr nun auf der Insel zu begegnen, darin bestand sein Wunsch, für den er viel zu riskieren bereit war. Der Fluss ergoss sich am Ende der Ebene in den See, den noch kein Lebender überquert hatte. Das aus dem See abfließende Wasser nahm das dahintreibende Boot mit und schob es über eine steile Felswand in die Tiefe, wo es zerschellte. Das Wasser trug seine Fracht in eine weite Sumpflandschaft. Kein Mensch hat je wieder vom Hinkenden gehört.

Zur gleichen Zeit überquerte die prächtig herausgeputzte Kutsche mit dem Fürstensohn den Fluss auf einem eigens für diesen Zweck gebauten Floß. Jenseits des Flusses empfing eine Abordnung des Khans die Kutsche mit Reiterspielen und geleitete sie sodann über Land. Pferdehufe wirbelten den Staub der Steppe zu einer gelben Wolke auf. Der Sohn des Fürsten aus dem ‚Vielleicht-Land' hustete, fühlte sich matt und nahm einen Schluck aus der ihm mitgegebenen Flasche mit dem Wundermittel. Er gedachte, damit die trockene Kehle zu befeuchten und seine Kräfte anzuregen.

Und dann geschah es! Er begann zu schrumpfen und verlor seine menschliche Gestalt. Vor dem Hochzeitszelt angelangt, öffnete man die Kutsche . . . und da lag auf dem Polster ein handtellergroßer Krebs!

Was war zu tun? Die Diener der Khan-Tochter wussten nichts anderes zu tun, als den Krebs in eine silberne Schüssel zu schieben und diese der Tochter in ihrem Zelt zu überreichen.

Die war zuerst erstaunt und schließlich wütend. Sie kippte die Schüssel um, der Krebs fiel auf den Boden und blieb regungslos liegen. Nun trat sie voller Zorn dem Tier mit ihren Reiterstiefeln auf den Panzer. Der platzte, und unter Zischen stieg dichter weißer Nebel auf.

Zitternd vor Furcht starrte die Tochter des Khans auf die Nebelwolke, die auch noch nach Schwefel stank. Die Wolke begann sich auszubreiten, dann zu verdichten und wurde dunkel. Bläuliche Lichtblitze zuckten in ihr, ließen schemenhaft eine menschliche Gestalt erkennen.

Dann stand plötzlich im Rest des Dunstes ein junger hübscher Mann vor der Khan-Tochter. Der rieb sich die Augen und starrte voller Entsetzen auf die ihm versprochene Braut: ein spindeldürres Mädchen in pludrigen Hosen und mit Stiefeln an den Beinen.

So hatte sich der Fürstensohn seine künftige Frau nicht vorgestellt. Und weil er ungeahnte Kräfte in sich fühlte, packte er sie, trug das strampelnde Bündel vor das Zelt und warf es in einen von Seerosen überzogenen Weiher. Das Wasser spritzte auf. Für einen Moment trat Stille ein, eine Stille, die das Schlimmste befürchten ließ.

In dem Weiher wohnte eine Fee, die den Menschen in ihrem kargen Dasein zugetan war. Das kranke Vieh gesundete, wenn die Frauen ihm Wasser aus dem Weiher in die Tränke taten. Auch den Frauen, die sich an dem Weiher wuschen, nützte es bei mancherlei Leiden. Aus diesem Grund hatten Männer keinen Zutritt zu seinem Ufer.

So war es nicht verwunderlich, dass keiner der Diener bemerkte, wie das Wasser aufquoll. Zwischen den Seerosen tauchte ein junges wunderschönes Weib in weißer Seide auf mit langem, blondem Haar und dunklen Augen. Es erhob sich aus dem Weiher, tat einige Schritte und sprang dem Fürstensohn, nass wie es war, auf die Hüfte und schloss die Arme um seinen Hals.

Der Plan der Verschwörer war nicht aufgegangen. Das junge Fürstenpaar versöhnte die beiderseits des Flusses sich gegenüberstehenden Völker. Die lebten weiterhin nach ihren Traditionen, trieben nun Handel miteinander und lernten sich achten.

Damit wäre die Geschichte an einem guten Ende angelangt. Doch politisch gewollte Ehen führen nicht immer zum erhofften Frieden. Auf beiden Seiten des Flusses wurde den Menschen nach einiger Zeit wieder ihre Gegensätzlichkeit bewusst. Die alten Vorurteile schürten jene, die sich von einer Trennung einen persönlichen Vorteil versprachen. Nach Aufständen verlor das Regentenpaar die Macht und musste schließlich in die unwirtlichen Berge fliehen. Es war damit zu rechnen, dass es dort den Winter nicht überleben würde.

Daraufhin ließen die alten Kameraden die Kriegstrommeln rühren. Steine und Speere flogen von der einen Seite, Pfeile und Pulverraketen kamen von der anderen. Hütten, Zelte und Häuser brannten, Menschen starben. Vieh wurde geraubt und Ackerland verwüstet. Bald brach eine Hungersnot aus.

Da hatte der Herr der Schöpfung ein Erbarmen. Schwarze Wolkenwände zogen auf, wälzten sich über die Ebene, die Erde bebte. Von zuckenden Blitzen umgeben näherten sich tonnenförmige Ungetüme vom Himmel herab. Denen entstiegen Riesen mit flammenden Schwertern. Sie schnitten das Land in Streifen, trennten diese vom Untergrund, rollten sie mit allem, was darauf war, wie Matten auf, und trugen sie in ihre galaktischen Fahrzeuge. Die erhoben sich unter donnernden Feuerstrahlen und Rauch und verschwanden in der Dunkelheit der Nacht.

Den Berichten nach habe man nach einer Weile am Himmel nur noch leuchtende Punkte gesehen, die sich mehr und mehr entfernten. Zurück blieb eine steinige Wüste, im Sommer der Hitze und im Winter dem Frost überlassen. Heftige Winde häuften Sand zu Dünen auf, unwirtlich für jegliches Leben. Die Wüste Taklamakan war entstanden.

Das berichtete mir der ferne Onkel auch: Kluge Herrscher umliegender Länder, sagte er, hätten die Botschaft der uralten Geschichte verstanden, Kanäle graben lassen und Wasser aus Flüssen auf die Felder geleitet, auf dass die Pflanzen in Zeiten der Hitze nicht verdorrten und die Frucht reifte. Seitdem breitete sich die Baumwolle von Indien her aus und nahm der Seide einen Teil ihrer Bedeutung. Taklamakan aber, ist bis heute eine Wüste geblieben.

*

Gewiss kein altes Märchen im neuen Kleid, doch ein neues im alten!

Emilia, an Opa gelehnt, ist eingeschlafen, auch Sebastian reibt sich müde über die Augen. Die Länge der Geschichte und Opas Erzählsprache haben ihn wohl überfordert, doch der Reiz der Geschichte, eingekleidet in die Verbindung zurückliegender Lebensformen mit einer fernen, aber für ihn vorstellbaren Landschaft, ist bei ihm angekommen.

Und Emilia? – Die Erinnerung an den erzählenden Großvater wird bleiben, ebenso die eine oder andere Einzelheit. Der inhaltliche Verlauf der Geschichte hat sie nur wenig berührt. Es ist die Atmosphäre gewesen, in der sie sich aufgenommen fühlte.

◆

Die Handlung und alle handelnden Personen sind frei erfunden. Jegliche Ähnlichkeit mit lebenden oder realen Personen wäre rein zufällig.

Auch bei diesem Buch danke ich Euch allen, die ihr Rolands Schreiben seit vielen Jahren mit Impulsen und konstruktiver Kritik begleitet habt. Das Manuskript hat er im Mai 2023 abgeschlossen, kurz bevor er starb. Dass es in die Welt soll, war sein Wunsch. Für Rat und Tat bei der Veröffentlichung geht mein Dank diesmal in besonderer Weise an Regine und Johann.

Inge Reuter-Eck (Hrsg.)

Inhalt

Weitere Titel von Roland E. Ruf bei *tredition*

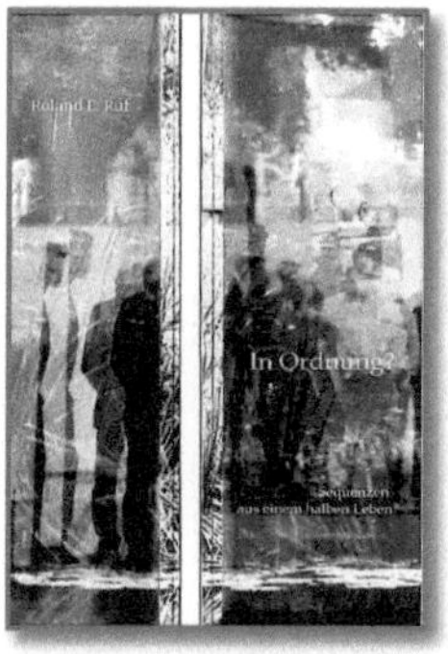

Leseproben und mehr unter **www.roland-e-ruf.de**
www.tredition.com